BÉRÉNICE

Racine à 36 ans (Phèdre)
(Musée de Langres)

Oxford French Series

By AMERICAN SCHOLARS

GENERAL EDITOR: RAYMOND WEEKS, PH.D.

PROFESSOR OF ROMANCE LANGUAGES AND LITERATURES, COLUMBIA UNIVERSITY

BÉRÉNICE

BY

JEAN RACINE

EDITED WITH AN INTRODUCTION AND NOTES

BY

ROBERT EDOUARD PELLISSIER, PH.D.

ASSISTANT PROFESSOR OF ROMANCE LANGUAGES,

LELAND STANFORD JR. UNIVERSITY

NEW YORK

OXFORD UNIVERSITY PRESS

AMERICAN BRANCH: 35 WEST 32D STREET

LONDON, TORONTO, MELBOURNE & BOMBAY

HUMPHREY MILFORD

1915

CONTENTS

INTRODUCTION

I. JEAN RACINE

RACINE was born in 1639. His early education bore the stamp of the Jansenist discipline which permeated the moral and intellectual atmosphere of his family group. This amounts to saying that his training was puritanical in character since the Jansenists held very much the same relation to the Catholic Church that the Puritans did to that of England. Their religious faith and their theological theory were based on the principle that man, ever since the Fall, is hopelessly corrupt, that the impulses of his heart are necessarily bad, and that the only possibility of right living depends for him on the power of the saving grace which his Maker may or may not grant him. Thus the Jansenists, though staunch Catholics, came to the same conclusion as the Puritans and the Calvinists. The true Christian must spend his whole life in an effort to curb his passions and to repress his impulses. The effort will be conclusive, not because the individual has made it on his own initiative, but because God has willed that it should be effective.

These stern principles which young Racine found as part and parcel of his family environment were instilled into his character with greater definiteness by a stay of three years with the recluses of Port-Royal. These were a body of distinguished humanists who lived in retirement, not far from Paris, given over to study and meditation under Jansenist rule.

From these masters, Racine received a thorough grounding in the Classics, but it was surely in spite of them that he conceived a distinctly worldly view of literature and a keen desire to win literary fame. Still, at the time of leaving Port-Royal, Racine had not yet found himself. The moral atmosphere which he had breathed all his life, as well as his semi-ecclesi-astical education tended to incline him towards the priesthood. Upon leaving his masters, his intention was to take up the study of theology. Contact with the world during a stay at Paris, and later, a period of isolation at Uzès, in Southern France, far from Jansenist influences and with much time given over to the reading and annotating of the Classics, drove out of the young man's heart any desire to become a priest. He returned to Paris in 1662 and made the acquaint-ance of some of the greatest wits of the day.

The companionship of such men as La Fontaine, Molière, Furetière took him farther away than ever from the Jansenist ideal of life. In spite of the ad-monitions of his former teachers and of the entreaties of a venerable aunt, a nun at Port-Royal, young Racine plunged into a kind of life which, to say the least, was dissipated and which, but for the steadying influence of Boileau, might have fallen into debauchery.

This stormy period continued until 1677 and was the most active part of Racine's literary career. He was first noticed at court by poems of a semi-official character; then two plays, *La Thébaïde* and *Alexandre*, brought him recognition on the one hand and condemnation on the other. These two plays, full of promise to be sure, but bearing the mark of the apprentice, proved but too clearly to the recluses of Port-Royal that their pupil had profited only by one side of their instruction. Instead of turning his heart away from worldly passions, he was practicing the art of arousing them. Morally speaking, he had ceased to be one of them. Reproaches only served to exasperate the young author. He had now felt the intoxicating effect of literary success and he was not to be checked in his artistic development by the scoldings of pedagogues or by the pious admonitions of a nun. As a matter of fact, he quite forgot that his duty lay first of all in respecting those who had done so much toward developing his intellect, and retorted in a way that did infinitely more credit to his wit than to his heart. He went so far as to ridicule mercilessly the ponderous ways of his former teachers and to cast suspicions on the genuineness of the Christian charity of the Jansenists. This brought about a complete break between Port-Royal and Racine, determining at the same time the course of life of the poet for many years to come.

The truly great period of Racine's literary career

dated from this rupture. In 1667, he gave *Andromaque*, a play as important in the history of the French drama as was Corneille's *Cid;* then there appeared, in quick succession, *Les Plaideurs*, a comedy, and the tragedies of *Britannicus*, *Bérénice*, *Bajazet*, *Mithridate*, *Iphigénie*, and *Phèdre*.

Each of these plays has remained a masterpiece of French literature. Some won immediate fame with the public. Others, such as *Britannicus*, being too profound for the average audience, had to wait for recognition until the king himself had passed judgment upon them and given them his approval.

This period of glory was not one of unmixed happiness for Racine. It was a time of constant struggle because the type of tragedy introduced by Racine differed from anything ever seen before on the French stage. His works were constantly compared with the masterpieces of Corneille with their tendency to complicated plots and their simple psychology. It was a time of jealousy and heart burning, because although Corneille, as far as literature was concerned, was in his dotage, his past achievements had justly kept about him a body of admirers who strove to keep out a younger writer whose performance differed radically from that of the founder of the French tragedy. It was also a time of remorse. In spite of his rebellion against his masters, Racine feared in his heart that they might after all be right in considering the stage an agent of moral corruption. The disdainful irony with which he had treated them rankled in his memory, and his mode of life, particularly his relations with actresses, did not make altogether for a quiet conscience.

The steady and underhanded opposition of influential literary and social groups, dissatisfaction with his own conduct, and a reawakening of the religious fervor of his youth tended all in course of time to detach Racine from literature in general and from the writing of plays in particular.

The well-known cabal organized against *Phèdre* may have brought matters to a crisis. It will be remembered that a society "clique" hired Pradon, an insignificant author, to compose a play bearing the same title as that written by Racine and then tried by various high-handed means to have it succeed before the public while it made every effort to cause the downfall of Racine's *Phèdre*.

This climax to a series of injustices, added to well-deserved self-reproach, caused Racine at the age of thirty-eight, and in the prime of his genius, to cease writing. He gave up his irregular mode of life, married, and for the rest of his days was a quiet, self-respecting member of the bourgeoisie. During this period of retirement, Racine was, with his friend Boileau, official court historian. Furthermore, at the request of Madame de Maintenon he wrote two tragedies that were to be played by the young girls of her school. These plays were so austere in character that even the most exacting Jansenist could find nothing reprehensible in them. Supreme beauty of form and depth of character analysis showed them to be the true sisters of the passionate masterpieces created by the poet in the earlier part of his career.

These two plays, not intended for the general public, met with very little recognition. In our days they are considered among the purest jewels of Racine's art. In the seventeenth century, their Jansenism shocked the court and the monarch who dreaded the severity of the teachings of Port-Royal preferring the more supple guidance of the Jesuits.

Other incidents tended to show the growing seriousness of the poet's mind and incidentally to make his presence less desirable at court. A time came when it was evident that Racine was no longer in favor with his king.

This partial disgrace occurred near the close of the poet's life. Louis Racine, in his father's biography, hints that the coldness of the king materially shortened the days of the great man. Racine died in 1699.

II. BÉRÉNICE

The plays of Racine are characterized by the predominance of psychological analysis over plot, by the importance given to the passion of love, and by a mastery of the Alexandrine verse unrivaled in French literature. They follow with great exactness and, because of their analytic nature, with greatest ease, the pseudo-classic rules of dramatic composition. The unities of time and place, which were so burdensome to Corneille, did not fetter Racine, for he did not deal in adventures but strove to describe the various states of souls rent by passion.

The literary ideal of Racine made him consider complication in plot as inartistic. To use his own words, the art of the dramatist consisted "in making something out of nothing." Therefore his plays are remarkably simple as to plot and marvelously searching in their analysis of the human passions and of the human heart, but *Bérénice* is the simplest of them all while its character analysis is inferior to none. It has therefore been advanced that *Bérénice* is of all the plays of Racine the most representative, since it approaches more nearly to the author's ideal of what a tragedy should be.

This ideal of a bloodless tragedy, a tragedy of the mind, whose passion does not give rise to physical violence though it causes grief of infinite bitterness, has given to critics occasions for passing many unfavorable judgments on Racine's *Bérénice*.

Great as was the immediate success of the play, from the very start certain features were pointed out as faults and these criticisms have been repeated, variously phrased, down to our own days. They are all directed against the very nature of the subject which, it is averred, is not, and can never be, a tragic subject.

The Roman emperor Titus has been in love for many years with the Jewish queen Bérénice. He has brought her to Rome hoping against hope that he might some day be able to marry her. A time comes when it is clear to every one that the Roman fear of kings, which harked back to the tyranny of the Tarquins, will never allow a Roman emperor to take to himself a queen as wife. Rather than establish a precedent that might disrupt the state, Titus sacrifices his happiness and sends Bérénice back to Judaea. There is no blood, no violence, only despair before a situation which can be solved in but one way, the way of sacrifice.

There is no doubt that for the average spectator this moral distress lacks in intensity. The ideal of Racine is too lofty. We may admit, in theory, that blood, in a tragedy, is only a gross, brutal index of the real catastrophe which takes place in the heart. When it comes to witnessing a play, there is no doubt that daggers and blood help marvelously the understanding of the fundamental catastrophe. Because of this absence of tangible symbols, *Bérénice* has often been denied the character of a true tragedy. The friends of the author called it a beautiful elegy. His enemies would see in it nothing more than a series of madrigals. The Abbé de Villars, a contemporary, could find nothing tragic in what he termed "the hesitations of Titus" and added that the whole plot properly speaking could be run off in fifteen minutes. Saint-Évremont, another contemporary, felt that *Bérénice* aroused no feeling more intense than that of sorrow whereas tragedy demands despair. The son of the poet sided with the critics when he wrote in his father's *Life:* "There is no fear to be felt for Titus and why should one fear for Bérénice? . . . What is the plot? A lover who is leaving his mistress forever. . . ." Voltaire speaks of the inadequacy of the subject and calls *Bérénice* a pastoral poem between an emperor and queen and a king; a pastoral poem a hundred times less tragic than the captivating scenes of the *Pastor Fido.*

There is great unity in the opinions of literary critics regarding *Bérénice.* So great is their unity that it brings about the miracle of uniting Voltaire and the Romanticists. The schematic analysis of the play given by Victor Hugo implies the same blame which had been expressed by seventeenth and eighteenth century writers. Victor Hugo arranges as follows the lines of Suetonius which summarize Racine's play.

Act I

Titus

Act II

reginam Berenicem

Act III

invitus

Act IV

invitam

Act V

dimisit

He thus makes evident to the eye how slight is the subject matter of each act.

From a technical point of view there is no gainsaying this consensus of opinion. *Bérénice* lacks the claptrap and the bloody ending usually connected with tragic action, and a tragedy of the mind may not be a real tragedy. The fact remains that *Bérénice* is a wonderfully beautiful play and poetically speaking, one of the most perfect works produced by Racine. No critic has ever ventured to question the quality of its lyricism or the subtlety of its psychology. It is a poem of great charm, infinitely graceful and noble in its purity. It seems as if, in *Bérénice*, Racine had striven to make amends for the majority of his tragedies in which love, an unbridled and uncontrollable passion, sweeps everything before it, bringing madness and death in its train.

Furthermore, *Bérénice* may well be said to have been a prophecy of the moral evolution which its author was to undergo. First the queen can not see why Titus should yield to the will of the people which in the case of so powerful an emperor can be nothing more than an abstract principle. Later she sees her duty clearly as well as that of Titus. She understands that, if they ignore its call, the life of each will be utterly worthless. And so it was to be with Racine himself who had started his career impatient of all restraint and who was to accept, at last, the yoke to which a strict interpretation of Christianity urged him to bow.

To be sure, a Jansenist could not have accepted this transformation due to will power alone and not to grace given by God to his helpless creatures. Nevertheless, it may be safe to say that this depicting of a victory of duty over passion testified to the persistence, in Racine, of the principles instilled in him by his masters. Such a display of strength of character, it has been hinted, was due to an attempt to emulate Corneille, the poet of the will. This is very unlikely. The will of Bérénice is too finely welded to the passion it finally curbs to be a mere imitation of the stoicism of another's nature. It is much more satisfactory to consider it as the manifestation of a wayward soul which after a desperate struggle nerves itself to face the responsibilities of life.

It is fair to say that the foreign reader who could grasp all the delicate beauties of the versification of *Bérénice* and the infinite shades of meaning in the deft analysis of its characters would have progressed far towards understanding the nature of Racine's genius. It may even be claimed that having once penetrated the real nature of that masterpiece, he would have come to an understanding of the most illusive elements which go to make the strength and beauty of French classicism. *Bérénice* contains the quintessence of Racine's art and Racine is the noblest exponent of what has been called "the spirit of French letters."

For that reason *Bérénice* is even more than what Brunetière called it, namely, "the most exquisite but

above all the most noble elegy of the French language."
It may well be said to be the very embodiment of the
ideal of French classicism.

The best appreciation of *Bérénice* in English is that
of Mr. G. L. Strachey, *Landmarks of French Literature*, pp. 95–99 (in Home University Library, Henry
Holt, New York).

III. THE PROBLEM OF THE
TWO *BÉRÉNICES*

The composition of *Bérénice* presents one of those
problems which, because of a lack of well-ascertained
facts, have caused endless controversies and have taxed
to their utmost the wits of those critics who love to
grope about in the "selva oscura" of literary gossip.

At the very time that Racine was writing his *Bérénice*, Corneille was composing a tragedy on the same
subject. Both plays were performed at about the
same time and Racine won an unquestioned victory
over his rival who, for years, had not been in the
full possession of his literary powers. Corneille's performance, in this instance, proved to be a wretched
piece of work, over-complicated in plot and obscure in
diction.

This simultaneous composition of two plays on the
same theme by rival poets may have aroused the
curiosity of contemporaries, but of that we have no
direct proof. It was only some fifty years after the

event that Fontenelle stated in his life of Corneille, and without indicating his sources, that the two *Bérénices* had been the result of a literary duel fought by the two authors at the instigation of Henriette d'Angleterre, the daughter of Charles I, who had taken up her residence in France after her father's death.

The interest of the princess in literature was well known as also the excellence of her taste in such matters. She had already exercised a certain influence over Racine who had dedicated his *Andromaque* to her. There is nothing extraordinary in the supposition that she suggested the story of Bérénice to Racine as a fitting subject for a play. It is even possible that she may have wished to pit the young author against his rival, though the reason for such a course is by no means evident. What makes the story suspicious is the fact that it is not mentioned by a single contemporary, although both plays were widely commented upon and were jointly the subject of a parody entitled *The Two Bérénices*. In that parody the duel idea, had it been a "lieu commun" of the drawing-rooms of the time, could have been employed quite effectively.

The uncertainty of Fontenelle's statement is increased greatly by the embellishments to which it was later subjected by Voltaire, and by the ingenuity displayed by that writer in trying to account for the supposed rôle played by Henriette in the matter. According to Voltaire, Henriette had wished for a

dramatization of an incident in her own life. It is
well known that Louis XIV had for a time been
very much in love with the princess and that for
political reasons he had had to turn away from her.
Louis and Henriette had therefore been the modern
Titus and Bérénice.

Just what pleasure Henriette could find in recall-
ing an event the memory of which must have been
more painful than otherwise, is not clear, especially
if we bear in mind that this evocation of the past
was to become, necessarily, a subject for public dis-
cussion. At best the idea was whimsical. It seems
an unnatural one in a lady known first of all for
her tact and fineness of feeling. May it not be
simply that Voltaire, puzzled by the whole question,
jumped at the first explanation which his ingenious
mind suggested? As a matter of fact, so pleased was
Voltaire with the method that had brought forth one
plausible explanation that he hastened to apply it
again and had no trouble in finding out another as
good at least as the first. Henriette d'Angleterre
shared the honor of having captivated the heart of the
young king with a number of ladies and notably with
Marie Mancini, the niece of Cardinal Mazarin. It is
known that without the interference of the cardinal,
who wanted the king to marry a princess of the Spanish
house, Marie Mancini would have become queen of
France. Now Voltaire adds that when Henriette
suggested the subject of Bérénice to Racine and to

Corneille, she had in mind to commemorate not only her own disappointment but also that of Marie Mancini.

Clearly, if it was difficult to see why Henriette should have wanted to recall the past at all, in a public way, it is still harder to understand why she should have wanted to bring up also the memory of a woman who had been more nearly successful than she and for whom she can have had nothing but feelings of jealousy.

Critics, since the days of Voltaire, have repeated with varying degrees of assurance that Racine's *Bérénice* was a memorial written in commemoration of the love affairs of Louis XIV with Henriette and Marie Mancini. Internal evidence has inclined some towards the belief that of the two models Marie Mancini was the one whom Racine had more particularly in mind. This naturally tends to weaken the supposed rôle of Henriette as indicated by Fontenelle.

In the nineteenth century, Deschanel, doubtless goaded by the desire to discover a new aspect to a subject so thoroughly threshed out as that of Racine's *Bérénice*, applied again with success Voltaire's old method. Casting about for royal sweethearts long since sunk into oblivion, that critic discovered that Mademoiselle de La Vallière filled the requirements of the case as well as Henriette and Marie. Racine would then have received from the princess the difficult task of blending into the character of one heroine the memories of three prototypes. Marvelous as is the unity of character of Racine's Bérénice, M. Deschanel contrives to find lines of the tragedy which imply distinct references to each one of the king's three sweethearts. A truly marvelous play is *Bérénice*, whose heroine is at once a unity and a trinity.

This development "ad absurdum," if not "ad nauseam" of a clever supposition weakens it singularly.

Given Voltaire's theory and a total absence of ascertained facts, there is no good reason for stopping with the last critic. Why not advance that Racine judged of the future by a well-known past, and that in drawing the portrait of the Jewish queen he meant to symbolize a large part of the amorous history of the Grand Monarch, perpetuating in his *Bérénice* the memory of those women whom Louis XIV loved and did not marry. This would be absurd, but the fact remains that Voltaire's hypothesis, used with moderation, has led us out of the domain of literary history into that of literary gossip of the most futile nature.

More recently, Monsieur Michaut, in his volume entitled *La Bérénice de Racine*, has taken an entirely different view of the problem. According to that writer, there was indeed a tilt between the two poets, but no woman was the immediate nor even the remote cause of it. The simultaneous writing of the two *Bérénices* would mark the climax in the long struggle between Racine and Corneille.

If we are to believe M. Michaut, Racine deliberately chose the same subject as his rival with the purpose of defeating him on his own grounds. It is further sup-

posed that the younger poet obtained possession some-
how of the play of Corneille before it was given to the
public. He would then have composed his own tragedy,
which would be partly a refutation, partly an adap-
tation of that of his rival. M. Michaut is able to
strengthen his thesis to a certain degree by giving
quotations from Racine which seem to be deliberate
contradictions of passages in Corneille, while others
may be imitations only. In addition it can be shown
that the prefaces and dedications of the plays of
Racine show a growing bitterness up to and including
the publication of *Bérénice*. From then on, the poet
grows gradually more gentle, bearing criticisms and
opposition with increasing equanimity.

This curve, which may be considered to record the
rise and fall of Racine's temper, would reach its highest
point with *Bérénice*. Until that play, the author was
fighting for recognition and he may also have been
animated by a spirit of revenge. After the victory
which crowned this supreme effort, he relaxed and his
loss of interest in the stage began then and there.
He had proved his superiority over Corneille, he had
avenged himself of the repeated pin pricks inflicted
upon him by the partisans of the older man and for
the semi-fiasco of *Britannicus*.

Viewed in this light, the tragedy of *Bérénice* is seen
to occupy a position of unusual importance among
the plays of Racine. It becomes the very keystone
of his work, its most significant unit.

Two objections to this conclusion force themselves on the mind. First it compels one to adopt the view that the productive period of Racine's life was first of all a struggle with Corneille; it makes of him almost a monomaniac who had no peace until the destruction of his enemy was accomplished. Now Racine had a bad temper and did suffer acutely from rivalry and opposition, but it is inadmissible that his literary career can be reduced to the ebb and flow of one single passion directed against one man.

In the second place the conclusions of M. Michaut would seem to imply that the tragedies written after *Bérénice* were inferior to it or at least less intense, but such is not the case.

In addition it may be remarked that the theory of M. Michaut is based entirely on surmises, on possibilities, on ingenious interpretations, none of which taken separately could prove anything. It is built almost entirely on circumstantial evidence adroitly marshaled. M. Michaut has proved to be fully as clever as his seventeenth century predecessor and he has the decided advantage over him of arriving at a conclusion which has at least a philosophical aspect. Yet of the two explanations given for the simultaneous composition of the *Bérénices*, neither the one nor the other can be said to be final. It may well be that each contains elements of truth. Fontenelle, who was the nephew of Corneille, probably did not invent his statement and Voltaire may have guessed what was secretly in the heart of Henriette d'Angleterre. On the other hand, Racine may have been glad enough to meet Corneille in a hand-to-hand combat as it were, and the greatness of his success may have helped to appease his easily wounded pride.

Nevertheless it is safe to wager that the problem of the two *Bérénices* can not be fully solved until new facts are brought to light. With the present data, any attempt at a complete and detailed explanation of the matter is bound to degenerate into a game in which much wit may be expended but from which no serious results can come.

BÉRÉNICE

PERSONNAGES

TITUS, empereur de Rome.
BÉRÉNICE, reine de Palestine.
ANTIOCHUS, roi de Comagène.
PAULIN, confident de Titus.
ARSACE, confident d'Antiochus.
PHÉNICE, confidente de Bérénice.
RUTILE, Romain.
SUITE DE TITUS.

La scène est à Rome, dans un cabinet qui est entre l'appartement de Titus et celui de Bérénice.

A MONSEIGNEUR

COLBERT [1]

SECRÉTAIRE D'ÉTAT, CONTRÔLEUR GÉNÉRAL DES FINANCES, SURIN-
TENDANT DES BÂTIMENTS, GRAND TRÉSORIER DES ORDRES
DU ROI, MARQUIS DE SEIGNELAY, ETC.

MONSEIGNEUR,

Quelque juste défiance que j'aie de moi-même et de mes ouvrages, j'ose espérer que vous ne condamnerez pas la liberté que je prends de vous dédier cette tragédie. Vous ne l'avez pas jugée tout à fait indigne de votre approbation. Mais ce qui fait son plus grand mérite auprès de vous, c'est, MONSEIGNEUR, que vous avez été témoin du bonheur qu'elle a eu de ne pas déplaire à Sa Majesté.

L'on sait que les moindres choses vous deviennent considérables, pour peu qu'elles puissent servir ou à sa gloire ou à son plaisir; et c'est ce qui fait qu'au milieu de tant d'importantes occupations, où le zèle de votre prince et le bien public vous tiennent continuellement attaché, vous ne dédaignez pas quelquefois de descendre jusqu'à nous, pour nous demander compte de notre loisir.

J'aurais ici une belle occasion de m'étendre sur vos louanges, si vous me permettiez de vous louer. Et que ne dirais-je point de tant de rares qualités qui vous ont attiré l'admiration de toute la France; de cette pénétration à laquelle rien n'échappe; de cet esprit vaste qui embrasse, qui exécute tout à la fois tant de grandes choses; de cette âme que rien n'étonne, que rien ne fatigue!

Mais, MONSEIGNEUR, il faut être plus retenu à vous parler de vous-même; et je craindrais de m'exposer, par un éloge importun, à vous faire repentir de l'attention favorable dont vous m'avez honoré; il vaut mieux que je songe à la mériter par quelques nouveaux ouvrages: aussi bien c'est le plus agréable remerciement qu'on vous puisse faire. Je suis avec un profond respect,

MONSEIGNEUR,

Votre très humble et très obéissant serviteur.

RACINE.

PRÉFACE

Titus,[2] reginam Berenicem . . . *cui etiam nuptias polli-
citus ferebatur . . . statim ab Urbe dimisit invitus invitam.*

C'est-à-dire que "Titus, qui aimait passionnément
Bérénice, et qui même, à ce qu'on croyait, lui avait
promis de l'épouser, la renvoya de Rome, malgré lui et
malgré elle, dès les premiers jours de son empire." Cette
action est très fameuse dans l'histoire; et je l'ai trouvée
très propre pour le théâtre, par la violence des passions
qu'elle y pouvait exciter. En effet nous n'avons rien
de plus touchant dans tous les poètes que la séparation
d'Énée et de Didon dans Virgile. Et qui doute que ce
qui a pu fournir assez de matière pour tout un chant
d'un poème héroïque, où l'action dure plusieurs jours, ne
puisse suffire pour le sujet d'une tragédie, dont la durée
ne doit être que de quelques heures? Il est vrai que je
n'ai point poussé Bérénice jusqu'à se tuer, comme Didon,
parce que Bérénice n'ayant pas ici avec Titus les derniers
engagements que Didon avait avec Énée, elle n'est pas
obligée, comme elle, de renoncer à la vie. A cela près,
le dernier adieu qu'elle dit à Titus, et l'effort qu'elle se
fait pour s'en séparer n'est pas le moins tragique de la
pièce; et j'ose dire qu'il renouvelle assez bien dans le
cœur des spectateurs l'émotion que le reste y avait pu
exciter. Ce n'est point une nécessité qu'il y ait du

sang et des morts dans une tragédie: il suffit que l'action en soit grande, que les acteurs en soient héroïques, que les passions y soient excitées, et que tout s'y ressente de cette tristesse majestueuse qui fait tout le plaisir de la tragédie.[3]

Je crus que je pourrais rencontrer toutes ces parties dans mon sujet; mais ce qui m'en plut davantage, c'est que je le trouvai extrêmement simple. Il y avait longtemps que je voulais essayer si je pourrais faire une tragédie avec cette simplicité d'action qui a été si fort du goût des anciens, car c'est un des premiers préceptes qu'ils nous ont laissés: "Que ce que vous ferez, dit Horace, soit toujours simple et ne soit qu'un." Ils ont admiré l'*Ajax* de Sophocle, qui n'est autre chose qu'Ajax qui se tue de regret, à cause de la fureur où il était tombé après le refus qu'on lui avait fait des armes d'Achille. Ils ont admiré le *Philoctète*, dont tout le sujet est Ulysse qui vient pour surprendre les flèches d'Hercule. L'*Œdipe* même, quoique tout plein de reconnaissances, est moins chargé de matière que la plus simple tragédie de nos jours. Nous voyons enfin que les partisans de Térence, qui l'élèvent avec raison au-dessus de tous les poètes comiques, pour l'élégance de sa diction et pour la vraisemblance de ses mœurs, ne laissent pas de confesser que Plaute a un grand avantage sur lui par la simplicité qui est dans la plupart des sujets de Plaute; et c'est sans doute cette simplicité merveilleuse qui a attiré à ce dernier toutes les louanges que les anciens lui ont données. Combien Ménandre était-il encore plus simple, puisque Térence est obligé de prendre deux comédies de ce poète pour en faire une des siennes?

Et il ne faut point croire que cette règle ne soit fondée que sur la fantaisie de ceux qui l'ont faite: il n'y a que le vraisemblable qui touche dans la tragédie, et quelle vraisemblance y a-t-il qu'il arrive en un jour une multitude de choses qui pourraient à peine arriver en plusieurs semaines? Il y en a qui pensent que cette simplicité est une marque de peu d'invention. Ils ne songent pas qu'au contraire toute l'invention consiste à faire quelque chose de rien, et que tout ce grand nombre d'incidents a toujours été le refuge des poètes qui ne sentaient dans leur génie ni assez d'abondance ni assez de force pour attacher durant cinq actes leurs spectateurs par une action simple, soutenue de la violence des passions, de la beauté des sentiments et de l'élégance de l'expression. Je suis bien éloigné de croire que toutes ces choses se rencontrent dans mon ouvrage; mais aussi je ne puis croire que le public me sache mauvais gré de lui avoir donné une tragédie qui a été honorée de tant de larmes, et dont la trentième représentation a été aussi suivie que la première.[4]

Ce n'est pas que quelques personnes ne m'aient reproché cette même simplicité que j'avais recherchée avec tant de soin. Ils ont cru qu'une tragédie qui était si peu chargée d'intrigues ne pouvait être selon les règles du théâtre. Je m'informai s'ils se plaignaient qu'elle les eût ennuyés. On me dit qu'ils avouaient tous qu'elle n'ennuyait point, qu'elle les touchait même en plusieurs endroits, et qu'ils la verraient encore avec plaisir. Que veulent-ils davantage? Je les conjure d'avoir assez bonne opinion d'eux-mêmes pour ne pas croire qu'une pièce qui les touche et qui leur donne du plaisir puisse être absolument contre les règles. La principale règle est de plaire et de toucher: toutes les autres ne sont faites que pour parvenir à cette première. Mais toutes ces règles sont d'un long détail, dont je ne leur conseille pas de s'embarrasser: ils ont des occupations plus importantes. Qu'ils se reposent sur nous de la fatigue d'éclaircir les difficultés de la poétique d'Aristote; qu'ils se réservent le plaisir de pleurer et d'être attendris; et qu'ils me permettent de leur dire ce qu'un musicien disait à Philippe, roi de Macédoine, qui prétendait qu'une chanson n'était pas selon les règles: "A Dieu ne plaise, seigneur, que vous soyez jamais si malheureux que de savoir ces choses-là mieux que moi!"

Voilà tout ce que j'ai à dire à ces personnes à qui je ferai toujours gloire de plaire; car, pour le libelle que l'on a fait contre moi, je crois que les lecteurs me dispenseront volontiers d'y répondre. Et que répondrais-je à un homme[5] qui ne pense rien et qui ne sait pas même construire ce qu'il pense? Il parle de protase comme s'il entendait ce mot, et veut que cette première des quatre parties de la tragédie soit toujours la plus proche de la dernière, qui est la catastrophe. Il se plaint que la trop grande connaissance des règles l'empêche de se divertir à la comédie. Certainement, si l'on en juge par

sa dissertation, il n'y eut jamais de plainte plus mal
fondée. Il paraît bien qu'il n'a jamais lu Sophocle, qu'il
loue très injustement d'*une grande multiplicité d'incidents*,
et qu'il n'a même jamais rien lu de la poétique, que dans
quelques préfaces de tragédies. Mais je lui pardonne
de ne pas savoir les règles du théâtre, puisque, heureuse-
ment pour le public, il ne s'applique pas à ce genre
d'écrire. Ce que je ne lui pardonne pas, c'est de savoir
si peu les règles de la bonne plaisanterie, lui qui ne
veut pas dire un mot sans plaisanter. Croit-il réjouir
beaucoup les honnêtes gens par ces *hélas de poche*, ces
mesdemoiselles mes règles, et quantité d'autres basses
affectations qu'il trouvera condamnées dans tous les
bons auteurs, s'il se mêle jamais de les lire?

Toutes ces critiques sont le partage de quatre ou cinq
petits auteurs infortunés qui n'ont jamais pu par eux-
mêmes exciter la curiosité du public. Ils attendent
toujours l'occasion de quelque ouvrage qui réussisse,
pour l'attaquer, non point par jalousie, car sur quel
fondement seraient-ils jaloux? mais dans l'espérance
qu'on se donnera la peine de leur répondre, et qu'on les
tirera de l'obscurité où leurs propres ouvrages les
auraient laissés toute leur vie.

BÉRÉNICE

1670

ACTE PREMIER

Scène Première: Antiochus, Arsace.

ANTIOCHUS.

Arrêtons un moment. La pompe de ces lieux,
Je le vois bien, Arsace, est nouvelle à tes yeux.
Souvent ce cabinet superbe et solitaire
Des secrets de Titus est le dépositaire.
C'est ici quelquefois qu'il se cache à sa cour,　　　　5
Lorsqu'il vient à la Reine expliquer son amour.
De son appartement cette porte est prochaine,
Et cette autre conduit dans celui de la Reine.
Va chez elle: dis-lui qu'importun à regret
J'ose lui demander un entretien secret.　　　　10

ARSACE.

Vous, Seigneur, importun? vous, cet ami fidèle
Qu'un soin si généreux intéresse pour elle?
Vous, cet Antiochus, son amant autrefois?
Vous, que l'Orient compte entre ses plus grands rois?
Quoi! déjà de Titus épouse en espérance,　　　　15
Ce rang entre elle et vous met-il tant de distance?

ANTIOCHUS.

Va, dis-je; et, sans vouloir te charger d'autres soins,
Vois si je puis bientôt lui parler sans témoins.

SCÈNE II: ANTIOCHUS, *seul.*

Hé bien! Antiochus, es-tu toujours le même?
Pourrai-je, sans trembler, lui dire: "Je vous aime"? 20
Mais quoi! déjà je tremble, et mon cœur agité
Craint autant ce moment que je l'ai souhaité.
Bérénice autrefois m'ôta toute espérance;
Elle m'imposa même un éternel silence.
Je me suis tu cinq ans; et, jusques à ce jour, 25
D'un voile d'amitié j'ai couvert mon amour.
Dois-je croire qu'au rang où Titus la destine
Elle m'écoute mieux que dans la Palestine?
Il l'épouse. Ai-je donc attendu ce moment
Pour me venir encor déclarer son amant? 30
Quel fruit me reviendra d'un aveu téméraire?
Ah! puisqu'il faut partir, partons sans lui déplaire.
Retirons-nous, sortons; et sans nous découvrir
Allons loin de ses yeux l'oublier, ou mourir.
Hé quoi! souffrir toujours un tourment qu'elle ignore! 35
Toujours verser des pleurs qu'il faut que je dévore!
Quoi! même en la perdant redouter son courroux!
Belle Reine, et pourquoi vous offenseriez-vous?
Viens-je vous demander que vous quittiez l'Empire?
Que vous m'aimiez? Hélas! je ne viens que vous dire 40
Qu'après m'être longtemps flatté que mon rival

Trouverait à ses vœux quelque obstacle fatal,
Aujourd'hui qu'il peut tout, que votre hymen s'avance,
Exemple infortuné d'une longue constance,
Après cinq ans d'amour et d'espoir superflus,   45
Je pars, fidèle encor quand je n'espère plus.
Au lieu de s'offenser, elle pourra me plaindre.
Quoi qu'il en soit, parlons; c'est assez nous contraindre.
Et que peut craindre, hélas! un amant sans espoir
Qui peut bien se résoudre à ne la jamais voir?   50

Scène III: Antiochus, Arsace.

ANTIOCHUS.

Arsace, entrerons-nous?

ARSACE.

     Seigneur, j'ai vu la Reine;
Mais, pour me faire voir, je n'ai percé qu'à peine
Les flots toujours nouveaux d'un peuple adorateur
Qu'attire sur ses pas sa prochaine grandeur.
Titus, après huit jours d'une retraite austère,   55
Cesse enfin de pleurer Vespasien son père.
Cet amant se redonne aux soins de son amour;
Et, si j'en crois, Seigneur, l'entretien de la cour,
Peut-être avant la nuit l'heureuse Bérénice
Change le nom de reine au nom d'impératrice.   60

ANTIOCHUS.

Hélas!

ARSACE.

  Quoi! ce discours pourrait-il vous troubler?

ANTIOCHUS.

Ainsi donc sans témoins je ne lui puis parler?

ARSACE.

Vous la verrez, Seigneur; Bérénice est instruite
Que vous voulez ici la voir seule et sans suite.
La Reine d'un regard a daigné m'avertir   65
Qu'à votre empressement elle allait consentir;
Et sans doute elle attend le moment favorable
Pour disparaître aux yeux d'une cour qui l'accable.

ANTIOCHUS.

Il suffit. Cependant n'as-tu rien négligé
Des ordres importants dont je t'avais chargé?   70

ARSACE.

Seigneur, vous connaissez ma prompte obéissance.
Des vaisseaux dans Ostie armés en diligence,
Prêts à quitter le port de moments en moments,
N'attendent pour partir que vos commandements.
Mais qui renvoyez-vous dans votre Comagène[1]?   75

ANTIOCHUS.

Arsace, il faut partir quand j'aurai vu la Reine.

ARSACE.

Qui doit partir?

ANTIOCHUS.

Moi.

[1] Contrée du nord-est de la Syrie.

ARSACE.

Vous?

ANTIOCHUS.

En sortant du palais,
Je sors de Rome, Arsace, et j'en sors pour jamais.

ARSACE.

Je suis surpris sans doute, et c'est avec justice.
Quoi! depuis si longtemps la reine Bérénice   80
Vous arrache, Seigneur, du sein de vos États;
Depuis trois ans dans Rome elle arrête vos pas;
Et lorsque cette reine, assurant sa conquête,
Vous attend pour témoin de cette illustre fête;
Quand l'amoureux Titus, devenant son époux,   85
Lui prépare un éclat qui rejaillit sur vous...

ANTIOCHUS.

Arsace, laisse-la jouir de sa fortune,
Et quitte un entretien dont le cours m'importune.

ARSACE.

Je vous entends, Seigneur: ces mêmes dignités
Ont rendu Bérénice ingrate à vos bontés;   90
L'inimitié succède à l'amitié trahie.

ANTIOCHUS.

Non, Arsace, jamais je ne l'ai moins haïe.

ARSACE.

Quoi donc! de sa grandeur déjà trop prévenu,
Le nouvel empereur vous a-t-il méconnu?

Quelque pressentiment de son indifférence   95
Vous fait-il loin de Rome éviter sa présence?

ANTIOCHUS.

Titus n'a point pour moi paru se démentir,
J'aurais tort de me plaindre.

ARSACE.

     Et pourquoi donc partir?
Quel caprice vous rend ennemi de vous-même?
Le ciel met sur le trône un prince qui vous aime,   100
Un prince qui, jadis témoin de vos combats,
Vous vit chercher la gloire et la mort sur ses pas,
Et de qui la valeur, par vos soins secondée,
Mit enfin sous le joug la rebelle Judée.
Il se souvient du jour illustre et douloureux   105
Qui décida du sort d'un long siège douteux.
Sur leur triple rempart les ennemis tranquilles
Contemplaient sans péril nos assauts inutiles;
Le bélier impuissant les menaçait en vain:
Vous seul, Seigneur, vous seul, une échelle à la main, 110
Vous portâtes la mort jusque sur leurs murailles.
Ce jour presque éclaira vos propres funérailles:
Titus vous embrassa mourant entre mes bras,
Et tout le camp vainqueur pleura votre trépas.
Voici le temps, Seigneur, où vous devez attendre   115
Le fruit de tant de sang qu'ils vous ont vu répandre.
Si, pressé du désir de revoir vos États,
Vous vous lassez de vivre où vous ne régnez pas,
Faut-il que sans honneur l'Euphrate vous revoie?

Attendez pour partir que César vous renvoie   120
Triomphant et chargé des titres souverains
Qu'ajoute encore aux rois l'amitié des Romains.
Rien ne peut-il, Seigneur, changer votre entreprise?
Vous ne répondez point?

ANTIOCHUS.

             Que veux-tu que je dise?
J'attends de Bérénice un moment d'entretien.   125

ARSACE.

Hé bien, Seigneur?

ANTIOCHUS.

        Son sort décidera du mien.

ARSACE.

Comment?

ANTIOCHUS.

     Sur son hymen j'attends qu'elle s'explique.
Si sa bouche s'accorde avec la voix publique,
S'il est vrai qu'on l'élève au trône des Césars,
Si Titus a parlé, s'il l'épouse, je pars.   130

ARSACE.

Mais qui rend à vos yeux cet hymen si funeste?

ANTIOCHUS.

Quand nous serons partis, je te dirai le reste.

ARSACE.

Dans quel trouble, Seigneur, jetez-vous mon esprit?

ANTIOCHUS.

La Reine vient. Adieu, fais tout ce que j'ai dit.

SCÈNE IV: BÉRÉNICE, ANTIOCHUS, PHÉNICE.

BÉRÉNICE.

Enfin je me dérobe à la joie importune   135
De tant d'amis nouveaux que me fait la fortune;
Je fuis de leurs respects l'inutile longueur,
Pour chercher un ami qui me parle du cœur.
Il ne faut point mentir: ma juste impatience
Vous accusait déjà de quelque négligence.   140
Quoi! cet Antiochus, disais-je, dont les soins
Ont eu tout l'Orient et Rome pour témoins;
Lui que j'ai vu toujours, constant dans mes traverses,
Suivre d'un pas égal mes fortunes diverses;
Aujourd'hui que le ciel semble me présager   145
Un honneur qu'avec vous je prétends partager,
Ce même Antiochus, se cachant à ma vue,
Me laisse à la merci d'une foule inconnue?

ANTIOCHUS.

Il est donc vrai, Madame, et, selon ce discours,
L'hymen va succéder à vos longues amours?   150

BÉRÉNICE.

Seigneur, je vous veux bien confier mes alarmes.
Ces jours ont vu mes yeux baignés de quelques larmes;
Ce long deuil que Titus imposait à sa cour
Avait, même en secret, suspendu son amour;

Il n'avait plus pour moi cette ardeur assidue 155
Lorsqu'il passait les jours attaché sur ma vue.
Muet, chargé de soins, et les larmes aux yeux,
Il ne me laissait plus que de tristes adieux.
Jugez de ma douleur, moi dont l'ardeur extrême,
Je vous l'ai dit cent fois, n'aime en lui que lui-même; 160
Moi qui, loin des grandeurs dont il est revêtu,
Aurais choisi son cœur et cherché sa vertu.

ANTIOCHUS.

Il a repris pour vous sa tendresse première?

BÉRÉNICE.

Vous fûtes spectateur de cette nuit dernière,
Lorsque, pour seconder ses soins religieux, 165
Le sénat a placé son père entre les Dieux.
De ce juste devoir sa piété contente
A fait place, Seigneur, au soin de son amante;
Et même en ce moment, sans qu'il m'en ait parlé,
Il est dans le sénat, par son ordre assemblé. 170
Là, de la Palestine il étend la frontière;
Il y joint l'Arabie et la Syrie entière;
Et, si de ses amis j'en dois croire la voix,
Si j'en crois ses serments redoublés mille fois,
Il va sur tant d'États couronner Bérénice, 175
Pour joindre à plus de noms le nom d'impératrice.
Il m'en viendra lui-même assurer en ce lieu.

ANTIOCHUS.

Et je viens donc vous dire un éternel adieu.

BÉRÉNICE.

Que dites-vous? Ah! ciel! quel adieu! quel langage!
Prince, vous vous troublez et changez de visage!   180

ANTIOCHUS.

Madame, il faut partir.

BÉRÉNICE.

          Quoi! ne puis-je savoir
Quel sujet...

ANTIOCHUS (*à part*).

    Il fallait partir sans la revoir.

BÉRÉNICE.

Que craignez-vous? Parlez: c'est trop longtemps se taire.
Seigneur, de ce départ quel est donc le mystère?

ANTIOCHUS.

Au moins souvenez-vous que je cède à vos lois,   185
Et que vous m'écoutez pour la dernière fois.
  Si, dans ce haut degré de gloire et de puissance,
Il vous souvient des lieux où vous prîtes naissance,
Madame, il vous souvient que mon cœur en ces lieux
Reçut le premier trait qui partit de vos yeux.   190
J'aimai; j'obtins l'aveu d'Agrippa votre frère.
Il vous parla pour moi. Peut-être sans colère
Alliez-vous de mon cœur recevoir le tribut:
Titus, pour mon malheur, vint, vous vit et vous plut.
Il parut devant vous dans tout l'éclat d'un homme 195
Qui porte entre ses mains la vengeance de Rome.

La Judée en pâlit. Le triste Antiochus
Se compta le premier au nombre des vaincus.
Bientôt, de mon malheur interprète sévère,
Votre bouche à la mienne ordonna de se taire.   200
Je disputai longtemps, je fis parler mes yeux;
Mes pleurs et mes soupirs vous suivaient en tous lieux.
Enfin votre rigueur emporta la balance:
Vous sûtes m'imposer l'exil ou le silence.
Il fallut le promettre, et même le jurer.   205
Mais, puisqu'en ce moment j'ose me déclarer,
Lorsque vous m'arrachiez cette injuste promesse,
Mon cœur faisait serment de vous aimer sans cesse.

BÉRÉNICE.

Ah! que me dites-vous?

ANTIOCHUS.

                    Je me suis tu cinq ans,
Madame, et vais encore me taire plus longtemps.   210
  De mon heureux rival j'accompagnai les armes;
J'espérai de verser mon sang après mes larmes,
Ou qu'au moins, jusqu'à vous porté par mille exploits,
Mon nom pourrait parler, au défaut de ma voix.
Le ciel sembla promettre une fin à ma peine: 215
Vous pleurâtes ma mort, hélas! trop peu certaine.
Inutiles périls! Quelle était mon erreur!
La valeur de Titus surpassait ma fureur.
Il faut qu'à sa vertu mon estime réponde:
Quoique attendu, Madame, à l'empire du monde,   220
Chéri de l'univers, enfin aimé de vous,

Il semblait à lui seul appeler tous les coups,
Tandis que, sans espoir, haï, lassé de vivre,
Son malheureux rival ne semblait que le suivre.

Je vois que votre cœur m'applaudit en secret: 225
Je vois que l'on m'écoute avec moins de regret,
Et que, trop attentive à ce récit funeste,
En faveur de Titus vous pardonnez le reste.

Enfin, après un siège aussi cruel que lent,
Il dompta les mutins, reste pâle et sanglant   230
Des flammes, de la faim, des fureurs intestines,
Et laissa les remparts cachés sous leurs ruines.
Rome vous vit, Madame, arriver avec lui.
Dans l'Orient désert quel devint mon ennui!
Je demeurai longtemps errant dans Césarée,   235
Lieux charmants où mon cœur vous avait adorée.
Je vous redemandais à vos tristes États;
Je cherchais en pleurant les traces de vos pas.
Mais enfin, succombant à ma mélancolie,
Mon désespoir tourna mes pas vers l'Italie,   240
Le sort m'y réservait le dernier de ses coups.
Titus en m'embrassant m'amena devant vous.
Un voile d'amitié vous trompa l'un et l'autre,
Et mon amour devint le confident du vôtre.
Mais toujours quelque espoir flattait mes déplaisirs: 245
Rome, Vespasien traversaient vos soupirs:
Après tant de combats, Titus cédait peut-être.
Vespasien est mort, et Titus est le maître.
Que ne fuyais-je alors? J'ai voulu quelques jours
De son nouvel empire examiner le cours.   250

Mon sort est accompli. Votre gloire s'apprête.
Assez d'autres, sans moi, témoins de cette fête,
A vos heureux transports viendront joindre les leurs;
Pour moi, qui ne pourrais y mêler que des pleurs,
D'un inutile amour trop constante victime,   255
Heureux, dans mes malheurs, d'en avoir pu sans crime
Conter toute l'histoire aux yeux qui les ont faits,
Je pars, plus amoureux que je ne fus jamais.

BÉRÉNICE.

Seigneur, je n'ai pas cru que dans une journée
Qui doit avec César unir ma destinée,   260
Il fût quelque mortel qui pût impunément
Se venir à mes yeux déclarer mon amant.
Mais de mon amitié mon silence est un gage;
J'oublie, en sa faveur, un discours qui m'outrage.
Je n'en ai point troublé le cours injurieux.   265
Je fais plus: à regret je reçois vos adieux.
Le ciel sait qu'au milieu des honneurs qu'il m'envoie
Je n'attendais que vous pour témoin de ma joie.
Avec tout l'univers j'honorais vos vertus.
Titus vous chérissait, vous admiriez Titus.   270
Cent fois je me suis fait une douceur extrême
D'entretenir Titus dans un autre lui-même.

ANTIOCHUS.

Et c'est ce que je fuis. J'évite, mais trop tard,
Ces cruels entretiens où je n'ai point de part.
Je fuis Titus; je fuis ce nom qui m'inquiète,   275
Ce nom qu'à tous moments votre bouche répète.

Que vous dirai-je enfin? Je fuis des yeux distraits
Qui, me voyant toujours, ne me voyaient jamais.
Adieu. Je vais, le cœur trop plein de votre image,
Attendre, en vous aimant, la mort pour mon partage. 280
Surtout ne craignez point qu'une aveugle douleur
Remplisse l'univers du bruit de mon malheur:
Madame, le seul bruit d'une mort que j'implore
Vous fera souvenir que je vivais encore.
Adieu.

SCÈNE V: BÉRÉNICE, PHÉNICE.

PHÉNICE.

   Que je le plains! Tant de fidélité,   285
Madame, méritait plus de prospérité.
Ne le plaignez-vous pas?

BÉRÉNICE.

      Cette prompte retraite
Me laisse, je l'avoue, une douleur secrète.

PHÉNICE.

Je l'aurais retenu.

BÉRÉNICE.

    Qui? moi, le retenir?
J'en dois perdre plutôt jusques au souvenir.   290
Tu veux donc que je flatte une ardeur insensée?

PHÉNICE.

Titus n'a point encore expliqué sa pensée.
Rome vous voit, Madame, avec des yeux jaloux;

La rigueur de ses lois m'épouvante pour vous:
L'hymen chez les Romains n'admet qu'une Romaine; 295
Rome hait tous les rois, et Bérénice est reine.

BÉRÉNICE.

Le temps n'est plus, Phénice, où je pouvais trembler.
Titus m'aime, il peut tout, il n'a plus qu'à parler.
Il verra le sénat m'apporter ses hommages,
Et le peuple de fleurs couronner ses images.   300
De cette nuit, Phénice, as-tu vu la splendeur [1] ?
Tes yeux ne sont-ils pas tout pleins de sa grandeur ?
Ces flambeaux, ce bûcher, cette nuit enflammée,
Ces aigles, ces faisceaux, ce peuple, cette armée,
Cette foule de rois, ces consuls, ce sénat,   305
Qui tous de mon amant empruntaient leur éclat;
Cette pourpre, cet or, que rehaussait sa gloire,
Et ces lauriers encor témoins de sa victoire;
Tous ces yeux qu'on voyait venir de toutes parts
Confondre sur lui seul leurs avides regards;   310
Ce port majestueux, cette douce présence . . .
Ciel! avec quel respect et quelle complaisance
Tous les cœurs en secret l'assuraient de leur foi!
Parle: peut-on le voir sans penser, comme moi,
Qu'en quelque obscurité que le sort l'eût fait naître, 315
Le monde, en le voyant, eût reconnu son maître?
Mais, Phénice, où m'emporte un souvenir charmant?
Cependant Rome entière, en ce même moment,
Fait des vœux pour Titus et, par des sacrifices,

---

[1] Il s'agit ici de l'apothéose de Vespasien, présidée par son fils Titus.

De son règne naissant célèbre les prémices.   320
Que tardons-nous? Allons, pour son empire heureux,
Au ciel, qui le protège, offrir aussi nos vœux.
Aussitôt, sans l'attendre, et sans être attendue,
Je reviens le chercher, et dans cette entrevue
Dire tout ce qu'aux cœurs l'un de l'autre contents   325
Inspirent des transports retenus si longtemps.

ACTE DEUXIÈME

SCÈNE PREMIÈRE: TITUS, PAULIN, SUITE.

TITUS.

A-t-on vu de ma part le roi de Comagène?
Sait-il que je l'attends?

PAULIN.

     J'ai couru chez la Reine.
Dans son appartement ce prince avait paru;
Il en était sorti lorsque j'y suis couru.   330
De vos ordres, Seigneur, j'ai dit qu'on l'avertisse.

TITUS.

Il suffit. Et que fait la reine Bérénice?

PAULIN.

La Reine, en ce moment, sensible à vos bontés,
Charge le ciel de vœux pour vos prospérités.
Elle sortait, Seigneur.

TITUS.

     Trop aimable princesse! 335
Hélas!

PAULIN.

   En sa faveur d'où naît cette tristesse?
L'Orient presque entier va fléchir sous sa loi:
Vous la plaignez?

TITUS.

Paulin, qu'on vous laisse avec moi.

SCÈNE II: TITUS, PAULIN.

TITUS.

Hé bien! de mes desseins Rome encore incertaine
Attend que deviendra le destin de la Reine,　　　340
Paulin; et les secrets de son cœur et du mien
Sont de tout l'univers devenus l'entretien.
Voici le temps enfin qu'il faut que je m'explique.
De la Reine et de moi que dit la voix publique?
Parlez: qu'entendez-vous?

PAULIN.

　　　　　　　　J'entends de tous côtés　　345
Publier vos vertus, Seigneur, et ses beautés.

TITUS.

Que dit-on des soupirs que je pousse pour elle?
Quel succès attend-on d'un amour si fidèle?

PAULIN.

Vous pouvez tout: aimez, cessez d'être amoureux,
La cour sera toujours du parti de vos vœux.　　350

TITUS.

Et je l'ai vue aussi cette cour peu sincère,
A ses maîtres toujours trop soigneuse de plaire,
Des crimes de Néron approuver les horreurs;
Je l'ai vue à genoux consacrer ses fureurs.

Je ne prends point pour juge une cour idolâtre,   355
Paulin: je me propose un plus noble théâtre;
Et, sans prêter l'oreille à la voix des flatteurs,
Je veux par votre bouche entendre tous les cœurs.
Vous me l'avez promis. Le respect et la crainte
Ferment autour de moi le passage à la plainte;   360
Pour mieux voir, cher Paulin, et pour entendre mieux,
Je vous ai demandé des oreilles, des yeux;
J'ai mis même à ce prix mon amitié secrète:
J'ai voulu que des cœurs vous fussiez l'interprète;
Qu'au travers des flatteurs votre sincérité   365
Fît toujours jusqu'à moi passer la vérité.
Parlez donc. Que faut-il que Bérénice espère?
Rome lui sera-t-elle indulgente ou sévère?
Dois-je croire qu'assise au trône des Césars
Une si belle reine offensât ses regards?   370

PAULIN.

N'en doutez point, Seigneur; soit raison, soit caprice,
Rome ne l'attend point pour son impératrice.
On sait qu'elle est charmante, et de si belles mains
Semblent vous demander l'empire des humains.
Elle a même, dit-on, le cœur d'une Romaine;   375
Elle a mille vertus. Mais, Seigneur, elle est reine.
Rome, par une loi qui ne se peut changer,
N'admet avec son sang aucun sang étranger,
Et ne reconnaît point les fruits illégitimes
Qui naissent d'un hymen contraire à ses maximes.   380
D'ailleurs, vous le savez, en bannissant ses rois,

Rome à ce nom, si noble et si saint autrefois,
Attacha pour jamais une haine puissante;
Et quoiqu'à ses Césars fidèle, obéissante,
Cette haine, Seigneur, reste de sa fierté, 385
Survit dans tous les cœurs après la liberté.
Jules, qui le premier la soumit à ses armes,
Qui fit taire les lois dans le bruit des alarmes,
Brûla pour Cléopâtre; et, sans se déclarer,
Seule dans l'Orient la laissa soupirer. 390
Antoine, qui l'aima jusqu'à l'idolâtrie,
Oublia dans son sein sa gloire et sa patrie,
Sans oser toutefois se nommer son époux:
Rome l'alla chercher jusques à ses genoux
Et ne désarma point sa fureur vengeresse 395
Qu'elle n'eût accablé l'amant et la maîtresse.
Depuis ce temps, Seigneur, Caligula, Néron,
Monstres dont à regret je cite ici le nom,
Et qui, ne conservant que la figure d'homme,
Foulèrent à leurs pieds toutes les lois de Rome, 400
Ont craint cette loi seule, et n'ont point à nos yeux
Allumé le flambeau d'un hymen odieux.
Vous m'avez commandé surtout d'être sincère.
De l'affranchi Pallas nous avons vu le frère,
Des fers de Claudius Félix encor flétri, 405
De deux reines, Seigneur, devenir le mari;
Et, s'il faut jusqu'au bout que je vous obéisse,
Ces deux reines étaient du sang de Bérénice.
Et vous croiriez pouvoir, sans blesser nos regards,
Faire entrer une reine au lit de nos Césars, 410

Tandis que l'Orient dans le lit de ses reines
Voit passer un esclave au sortir de nos chaînes?
C'est ce que les Romains pensent de votre amour;
Et je ne réponds pas, avant la fin du jour,
Que le sénat, chargé des vœux de tout l'Empire,   415
Ne vous redise ici ce que je viens de dire;
Et que Rome avec lui, tombant à vos genoux,
Ne vous demande un choix digne d'elle et de vous.
Vous pouvez préparer, Seigneur, votre réponse.

TITUS.

Hélas! à quel amour on veut que je renonce!   420

PAULIN.

Cet amour est ardent, il le faut confesser.

TITUS.

Plus ardent mille fois que tu ne peux penser,
Paulin. Je me suis fait un plaisir nécessaire
De la voir chaque jour, de l'aimer, de lui plaire.
J'ai fait plus (je n'ai rien de secret à tes yeux):   425
J'ai pour elle cent fois rendu grâces aux Dieux
D'avoir choisi mon père au fond de l'Idumée,
D'avoir rangé sous lui l'Orient et l'armée,
Et, soulevant encor le reste des humains,
Remis Rome sanglante en ses paisibles mains.   430
J'ai même souhaité la place de mon père,
Moi, Paulin, qui cent fois, si le sort moins sévère
Eût voulu de sa vie étendre les liens,
Aurais donné mes jours pour prolonger les siens:

Tout cela (qu'un amant sait mal ce qu'il désire!)   435
Dans l'espoir d'élever Bérénice à l'Empire,
De reconnaître un jour son amour et sa foi,
Et de voir à ses pieds tout le monde avec moi.
Malgré tout mon amour, Paulin, et tous ses charmes,
Après mille serments appuyés de mes larmes,   440
Maintenant que je puis couronner tant d'attraits,
Maintenant que je l'aime encor plus que jamais,
Lorsqu'un joyeux hymen, joignant nos destinées,
Peut payer en un jour les vœux de cinq années,
Je vais, Paulin... O ciel! puis-je le déclarer?   445

PAULIN.

Quoi, Seigneur?

TITUS.

                  Pour jamais je vais m'en séparer.
Mon cœur en ce moment ne vient pas de se rendre.
Si je t'ai fait parler, si j'ai voulu t'entendre,
Je voulais que ton zèle achevât en secret
De confondre un amour qui se tait à regret.   450
Bérénice a longtemps balancé la victoire;
Et si je penche enfin du côté de ma gloire,
Crois qu'il m'en a coûté, pour vaincre tant d'amour,
Des combats dont mon cœur saignera plus d'un jour.
J'aimais, je soupirais dans une paix profonde: 455
Un autre était chargé de l'empire du monde.
Maître de mon destin, libre de mes soupirs,
Je ne rendais qu'à moi compte de mes désirs.
Mais à peine le ciel eût rappelé mon père,

Dès que ma triste main eut fermé sa paupière,   460
De mon aimable erreur je fus désabusé:
Je sentis le fardeau qui m'était imposé;
Je connus que bientôt, loin d'être à ce que j'aime,
Il fallait, cher Paulin, renoncer à moi-même;
Et que le choix des Dieux, contraire à mes amours,   465
Livrait à l'univers le reste de mes jours.
Rome observe aujourd'hui ma conduite nouvelle.
Quelle honte pour moi, quel présage pour elle,
Si, dès le premier pas renversant tous ses droits,
Je fondais mon bonheur sur le débris des lois!   470
Résolu d'accomplir ce cruel sacrifice,
J'y voulus préparer la triste Bérénice;
Mais par où commencer? Vingt fois, depuis huit jours,
J'ai voulu devant elle en ouvrir le discours;
Et, dès le premier mot, ma langue embarrassée   475
Dans ma bouche vingt fois a demeuré glacée.
J'espérais que du moins mon trouble et ma douleur
Lui feraient pressentir notre commun malheur;
Mais, sans me soupçonner, sensible à mes alarmes,
Elle m'offre sa main pour essuyer mes larmes,   480
Et ne prévoit rien moins, dans cette obscurité,
Que la fin d'un amour qu'elle a trop mérité.
Enfin j'ai ce matin rappelé ma constance:
Il faut la voir, Paulin, et rompre le silence.
J'attends Antiochus pour lui recommander   485
Ce dépôt précieux que je ne puis garder:
Jusque dans l'Orient je veux qu'il la ramène.
Demain Rome avec lui verra partir la Reine.

Elle en sera bientôt instruite par ma voix;
Et je vais lui parler pour la dernière fois.   490

PAULIN.

Je n'attendais pas moins de cet amour de gloire
Qui partout après vous attacha la victoire.
La Judée asservie, et ses remparts fumants,
De cette noble ardeur éternels monuments,
Me répondaient assez que votre grand courage   495
Ne voudrait pas, Seigneur, détruire son ouvrage;
Et qu'un héros vainqueur de tant de nations
Saurait bien, tôt ou tard, vaincre ses passions.

TITUS.

Ah! que sous de beaux noms cette gloire est cruelle!
Combien mes tristes yeux la trouveraient plus belle, 500
S'il ne fallait encor qu'affronter le trépas!
Que dis-je? Cette ardeur que j'ai pour ses appas,
Bérénice en mon sein l'a jadis allumée.
Tu ne l'ignores pas: toujours la Renommée
Avec le même éclat n'a pas semé mon nom;   505
Ma jeunesse, nourrie à la cour de Néron,
S'égarait, cher Paulin, par l'exemple abusée,
Et suivait du plaisir la pente trop aisée.
Bérénice me plut. Que ne fait point un cœur
Pour plaire à ce qu'il aime et gagner son vainqueur? 510
Je prodiguai mon sang; tout fit place à mes armes:
Je revins triomphant. Mais le sang et les larmes
Ne me suffisaient pas pour mériter ses vœux:
J'entrepris le bonheur de mille malheureux.

On vit de toutes parts mes bontés se répandre: 515
Heureux, et plus heureux que tu ne peux comprendre,
Quand je pouvais paraître à ses yeux satisfaits
Chargé de mille cœurs conquis par mes bienfaits!
Je lui dois tout, Paulin.   Récompense cruelle!
Tout ce que je lui dois va retomber sur elle.   520
Pour prix de tant de gloire et de tant de vertus,
Je lui dirai: "Partez, et ne me voyez plus."

PAULIN.

Hé quoi? Seigneur, hé quoi? cette magnificence
Qui va jusqu'à l'Euphrate étendre sa puissance,
Tant d'honneurs, dont l'excès a surpris le sénat,   525
Vous laissent-ils encor craindre le nom d'ingrat?
Sur cent peuples nouveaux Bérénice commande.

TITUS.

Faibles amusements d'une douleur si grande!
Je connais Bérénice et ne sais que trop bien
Que son cœur n'a jamais demandé que le mien.   530
Je l'aimai; je lui plus. Depuis cette journée,
(Dois-je dire funeste, hélas! ou fortunée?)
Sans avoir, en aimant, d'objet que son amour,
Étrangère dans Rome, inconnue à la cour,
Elle passe ses jours, Paulin, sans rien prétendre   535
Que quelque heure à me voir et le reste à m'attendre.
Encor, si quelquefois un peu moins assidu
Je passe le moment où je suis attendu,
Je la revois bientôt de pleurs toute trempée:
Ma main à les sécher est longtemps occupée.   540

Enfin tout ce qu'Amour a de nœuds plus puissants,
Doux reproches, transports sans cesse renaissants,
Soin de plaire sans art, crainte toujours nouvelle,
Beauté, gloire, vertu, je trouve tout en elle.
Depuis cinq ans entiers chaque jour je la vois,   545
Et crois toujours la voir pour la première fois.
N'y songeons plus. Allons, cher Paulin: plus j'y pense,
Plus je sens chanceler ma cruelle constance.
Quelle nouvelle, ô ciel! je lui vais annoncer!
Encore un coup, allons, il n'y faut plus penser.   550
Je connais mon devoir, c'est à moi de le suivre:
Je n'examine point si j'y pourrai survivre.

SCÈNE III: TITUS, PAULIN, RUTILE.

RUTILE.

Bérénice, Seigneur, demande à vous parler.

TITUS.

Ah! Paulin!

PAULIN.

Quoi! déjà vous semblez reculer?
De vos nobles projets, Seigneur, qu'il vous souvienne: 555
Voici le temps.

TITUS.

Hé bien, voyons-la. Qu'elle vienne.

SCÈNE IV: BÉRÉNICE, TITUS, PAULIN, PHÉNICE.

BÉRÉNICE.

Ne vous offensez pas si mon zèle indiscret
De votre solitude interrompt le secret.
Tandis qu'autour de moi votre cour assemblée
Retentit des bienfaits dont vous m'avez comblée,　560
Est-il juste, Seigneur, que seule en ce moment
Je demeure sans voix et sans ressentiment?
Mais, Seigneur (car je sais que cet ami sincère
Du secret de nos cœurs connaît tout le mystère),
Votre deuil est fini, rien n'arrête vos pas,　565
Vous êtes seul enfin et ne me cherchez pas!
J'entends que vous m'offrez un nouveau diadème,
Et ne puis cependant vous entendre vous-même.
Hélas! plus de repos, Seigneur, et moins d'éclat:
Votre amour ne peut-il paraître qu'au sénat?　570
Ah! Titus! car enfin l'amour fuit la contrainte
De tous ces noms que suit le respect et la crainte.
De quel soin votre amour va-t-il s'importuner?
N'a-t-il que des États qu'il me puisse donner?
Depuis quand croyez-vous que ma grandeur me
　　　touche?　575
Un soupir, un regard, un mot de votre bouche,
Voilà l'ambition d'un cœur comme le mien.
Voyez-moi plus souvent, et ne me donnez rien.
Tous vos moments sont-ils dévoués à l'Empire?
Ce cœur, après huit jours, n'a-t-il rien à me dire?　580

Qu'un mot va rassurer mes timides esprits!
Mais parliez-vous de moi quand je vous ai surpris?
Dans vos secrets discours étais-je intéressée,
Seigneur? Etais-je au moins présente à la pensée?

TITUS.

N'en doutez point, Madame; et j'atteste les Dieux 585
Que toujours Bérénice est présente à mes yeux,
L'absence ni le temps, je vous le jure encore,
Ne vous peuvent ravir ce cœur qui vous adore.

BÉRÉNICE.

Hé quoi! vous me jurez une éternelle ardeur,
Et vous me la jurez avec cette froideur? 590
Pourquoi même du ciel attester la puissance?
Faut-il par des serments vaincre ma défiance?
Mon cœur ne prétend point, Seigneur, vous démentir,
Et je vous en croirai sur un simple soupir.

TITUS.

Madame...

BÉRÉNICE.

Hé bien, Seigneur? Mais quoi! sans me répondre 595
Vous détournez les yeux, et semblez vous confondre.
Ne m'offrirez-vous plus qu'un visage interdit?
Toujours la mort d'un père occupe votre esprit?
Rien ne peut-il charmer l'ennui qui vous dévore?

TITUS.

Plût au ciel que mon père, hélas! vécût encore! 600
Que je vivais heureux!

BÉRÉNICE.

        Seigneur, tous ces regrets
De votre piété sont de justes effets.
Mais vos pleurs ont assez honoré sa mémoire:
Vous devez d'autres soins à Rome, à votre gloire.
De mon propre intérêt je n'ose vous parler.   605
Bérénice autrefois pouvait vous consoler;
Avec plus de plaisir vous m'avez écoutée.
De combien de malheurs pour vous persécutée,
Vous ai-je, pour un mot, sacrifié mes pleurs!
Vous regrettez un père: hélas! faibles douleurs!   610
Et moi (ce souvenir me fait frémir encore),
On voulait m'arracher de tout ce que j'adore;
Moi, dont vous connaissez le trouble et le tourment
Quand vous ne me quittez que pour quelque moment;
Moi, qui mourrais le jour qu'on voudrait m'interdire 615
De vous...

TITUS.

      Madame, hélas! que me venez-vous dire?
Quel temps choisissez-vous? Ah! de grâce, arrêtez.
C'est trop pour un ingrat prodiguer vos bontés.

BÉRÉNICE.

Pour un ingrat, Seigneur! Et le pouvez-vous être?
Ainsi donc mes bontés vous fatiguent peut-être?   620

TITUS.

Non, Madame. Jamais, puisqu'il faut vous parler,
Mon cœur de plus de feux ne se sentit brûler.
Mais...

BÉRÉNICE.

Achevez.

TITUS.

Hélas!

BÉRÉNICE.

Parlez.

TITUS.

Rome... L'Empire...

BÉRÉNICE.

Hé bien?

TITUS.

Sortons, Paulin: je ne lui puis rien dire.

SCÈNE V: BÉRÉNICE, PHÉNICE.

BÉRÉNICE.

Quoi! me quitter sitôt, et ne me dire rien?   625
Chère Phénice, hélas! quel funeste entretien!
Qu'ai-je fait? Que veut-il? Et que dit ce silence?

PHÉNICE.

Comme vous, je me perds d'autant plus que j'y pense.
Mais ne s'offre-t-il rien à votre souvenir
Qui contre vous, Madame, ait pu le prévenir?   630
Voyez, examinez.

BÉRÉNICE.

Hélas! tu peux m'en croire,
Plus je veux du passé rappeler la mémoire,

Du jour que je le vis jusqu'à ce triste jour,
Plus je vois qu'on me peut reprocher trop d'amour.
Mais tu nous entendais. Il ne faut rien me taire: 635
Parle. N'ai-je rien dit qui lui puisse déplaire?
Que sais-je? J'ai peut-être avec trop de chaleur
Rabaissé ses présents ou blâmé sa douleur.
N'est-ce point que de Rome il redoute la haine?
Il craint peut-être, il craint d'épouser une reine. 640
Hélas! s'il était vrai... Mais non, il a cent fois
Rassuré mon amour contre leurs dures lois;
Cent fois... Ah! qu'il m'explique un silence si rude:
Je ne respire pas dans cette incertitude.
Moi, je vivrais, Phénice, et je pourrais penser 645
Qu'il me néglige, ou bien que j'ai pu l'offenser?
Retournons sur ses pas. Mais, quand je m'examine,
Je crois de ce désordre entrevoir l'origine,
Phénice: il aura su tout ce qui s'est passé;
L'amour d'Antiochus l'a peut-être offensé. 650
Il attend, m'a-t-on dit, le roi de Comagène.
Ne cherchons point ailleurs le sujet de ma peine.
Sans doute ce chagrin qui vient de m'alarmer
N'est qu'un léger soupçon facile à désarmer.
Je ne te vante point cette faible victoire, 655
Titus. Ah! plût au ciel que, sans blesser ta gloire,
Un rival plus puissant voulût tenter ma foi
Et pût mettre à mes pieds plus d'empires que toi;
Que de sceptres sans nombre il pût payer ma flamme,
Que ton amour n'eût rien à donner que ton âme! 660
C'est alors, cher Titus, qu'aimé, victorieux,

Tu verrais de quel prix ton cœur est à mes yeux.
Allons, Phénice, un mot pourra le satisfaire.
Rassurons-nous, mon cœur, je puis encor lui plaire.
Je me comptais trop tôt au rang des malheureux.   665
Si Titus est jaloux, Titus est amoureux.

ACTE TROISIÈME

TITUS.

Quoi, Prince? vous partiez? Quelle raison subite
Presse votre départ, ou plutôt votre fuite?
Vouliez-vous me cacher jusques à vos adieux?
Est-ce comme ennemi que vous quittez ces lieux?   670
Que diront, avec moi, la cour, Rome, l'Empire?
Mais, comme votre ami, que ne puis-je point dire?
De quoi m'accusez-vous? Vous avais-je sans choix
Confondu jusqu'ici dans la foule des rois?
Mon cœur vous fut ouvert tant qu'a vécu mon père: 675
C'était le seul présent que je pouvais vous faire;
Et lorsque avec mon cœur ma main peut s'épancher,
Vous fuyez mes bienfaits tout prêts à vous chercher?
Pensez-vous qu'oubliant ma fortune passée,
Sur ma seule grandeur j'arrête ma pensée,   680
Et que tous mes amis s'y présentent de loin
Comme autant d'inconnus dont je n'ai plus besoin?
Vous-même, à mes regards qui vouliez vous soustraire,
Prince, plus que jamais vous m'êtes nécessaire.

ANTIOCHUS.

Moi, Seigneur?

TITUS.

Vous.

ANTIOCHUS.

Hélas! d'un prince malheureux   685
Que pouvez-vous, Seigneur, attendre que des vœux?

TITUS.

Je n'ai pas oublié, Prince, que ma victoire
Devait à vos exploits la moitié de sa gloire;
Que Rome vit passer au nombre des vaincus
Plus d'un captif chargé des fers d'Antiochus;   690
Que dans le Capitole elle voit attachées
Les dépouilles des Juifs par vos mains arrachées.
Je n'attends pas de vous de ces sanglants exploits,
Et je veux seulement emprunter votre voix.
Je sais que Bérénice, à vos soins redevable,   695
Croit posséder en vous un ami véritable:
Elle ne voit dans Rome et n'écoute que vous;
Vous ne faites qu'un cœur et qu'une âme avec nous.
Au nom d'une amitié si constante et si belle,
Employez le pouvoir que vous avez sur elle: 700
Voyez-la de ma part.

ANTIOCHUS.

Moi, paraître à ses yeux?
La Reine pour jamais a reçu mes adieux.

TITUS.

Prince, il faut que pour moi vous lui parliez encore.

ANTIOCHUS.

Ah! parlez-lui, Seigneur. La Reine vous adore.
Pourquoi vous dérober vous-même en ce moment   705

Le plaisir de lui faire un aveu si charmant?
Elle l'attend, Seigneur, avec impatience.
Je réponds, en partant, de son obéissance;
Et même elle m'a dit que, prêt à l'épouser,
Vous ne la verrez plus que pour l'y disposer.   710

TITUS.

Ah! qu'un aveu si doux aurait lieu de me plaire!
Que je serais heureux, si j'avais à le faire!
Mes transports aujourd'hui s'attendaient d'éclater:
Cependant aujourd'hui, Prince, il faut la quitter.

ANTIOCHUS.

La quitter! Vous, Seigneur?

TITUS.

           Telle est ma destinée,   715
Pour elle et pour Titus il n'est plus d'hyménée.
D'un espoir si charmant je me flattais en vain:
Prince, il faut avec vous qu'elle parte demain.

ANTIOCHUS.

Qu'entends-je? O ciel!

TITUS.

         Plaignez ma grandeur importune.
Maître de l'univers, je règle sa fortune;   720
Je puis faire les rois, je puis les déposer;
Cependant de mon cœur je ne puis disposer;
Rome, contre les rois de tout temps soulevée,
Dédaigne une beauté dans la pourpre élevée:

L'éclat du diadème et cent rois pour aïeux   725
Déshonorent ma flamme et blessent tous les yeux.
Mon cœur, libre d'ailleurs, sans craindre les murmures,
Peut brûler à son choix dans les flammes obscures;
Et Rome avec plaisir recevrait de ma main
La moins digne beauté qu'elle cache en son sein.   730
Jules céda lui-même au torrent qui m'entraîne.
Si le peuple demain ne voit partir la Reine,
Demain elle entendra ce peuple furieux
Me venir demander son départ à ses yeux.
Sauvons de cet affront mon nom et sa mémoire;   735
Et, puisqu'il faut céder, cédons à notre gloire.
Ma bouche et mes regards, muets depuis huit jours,
L'auront pu préparer à ce triste discours:
Et même en ce moment, inquiète, empressée,
Elle veut qu'à ses yeux j'explique ma pensée.   740
D'un amant interdit soulagez le tourment:
Épargnez à mon cœur cet éclaircissement.
Allez, expliquez-lui mon trouble et mon silence.
Surtout, qu'elle me laisse éviter sa présence.
Soyez le seul témoin de ses pleurs et des miens;   745
Portez-lui mes adieux, et recevez les siens.
Fuyons tous deux, fuyons un spectacle funeste
Qui de notre constance accablerait le reste.
Si l'espoir de régner et de vivre en mon cœur
Peut de son infortune adoucir la rigueur,   750
Ah! Prince! jurez-lui que, toujours trop fidèle,
Gémissant dans ma cour, et plus exilé qu'elle,
Portant jusqu'au tombeau le nom de son amant,

Mon règne ne sera qu'un long bannissement,
Si le ciel, non content de me l'avoir ravie,   755
Veut encor m'affliger par une longue vie.
Vous, que l'amitié seule attache sur ses pas,
Prince, dans son malheur ne l'abandonnez pas.
Que l'Orient vous voie arriver à sa suite;
Que ce soit un triomphe, et non pas une fuite;   760
Qu'une amitié si belle ait d'éternels liens;
Que mon nom soit toujours dans tous vos entretiens.
Pour rendre vos États plus voisins l'un de l'autre,
L'Euphrate bornera son empire et le vôtre.
Je sais que le sénat, tout plein de votre nom,   765
D'une commune voix confirmera ce don.
Je joins la Cilicie à votre Comagène.
Adieu. Ne quittez point ma princesse, ma reine,
Tout ce qui de mon cœur fut l'unique désir,
Tout ce que j'aimerai jusqu'au dernier soupir.   770

Scène II: Antiochus, Arsace.

arsace.

Ainsi le ciel s'apprête à vous rendre justice:
Vous partirez, Seigneur, mais avec Bérénice.
Loin de vous la ravir, on va vous la livrer.

antiochus.

Arsace, laisse-moi le temps de respirer.
Ce changement est grand, ma surprise est extrême: 775
Titus entre mes mains remet tout ce qu'il aime!

Dois-je croire, grands Dieux! ce que je viens d'ouïr?
Et, quand je le croirais, dois-je m'en réjouir?

ARSACE.

Mais, moi-même, Seigneur, que faut-il que je croie?
Quel obstacle nouveau s'oppose à votre joie?   780
Me trompiez-vous tantôt au sortir de ces lieux,
Lorsque encor tout ému de vos derniers adieux,
Tremblant d'avoir osé s'expliquer devant elle,
Votre cœur me contait son audace nouvelle?
Vous fuyiez un hymen qui vous faisait trembler.   785
Cet hymen est rompu: quel soin peut vous troubler?
Suivez les doux transports où l'amour vous invite.

ANTIOCHUS.

Arsace, je me vois chargé de sa conduite;
Je jouirai longtemps de ses chers entretiens;
Ses yeux mêmes pourront s'accoutumer aux miens;   790
Et peut-être son cœur fera la différence
Des froideurs de Titus à ma persévérance.
Titus m'accable ici du poids de sa grandeur:
Tout disparaît dans Rome auprès de sa splendeur;
Mais, quoique l'Orient soit plein de sa mémoire,   795
Bérénice y verra des traces de ma gloire.

ARSACE.

N'en doutez point, Seigneur, tout succède à vos vœux.

ANTIOCHUS.

Ah! que nous nous plaisons à nous tromper tous deux!

ARSACE.

Et pourquoi nous tromper?

ANTIOCHUS.

   Quoi! je lui pourrais plaire?
Bérénice à mes vœux ne serait plus contraire?   800
Bérénice d'un mot flatterait mes douleurs?
Penses-tu seulement que, parmi ses malheurs,
Quand l'univers entier négligerait ses charmes,
L'ingrate me permît de lui donner des larmes,
Ou qu'elle s'abaissât jusques à recevoir   805
Des soins qu'à mon amour elle croirait devoir?

ARSACE.

Et qui peut mieux que vous consoler sa disgrâce?
Sa fortune, Seigneur, va prendre une autre face:
Titus la quitte.
    ANTIOCHUS.

   . Hélas! de ce grand changement
Il ne me reviendra que le nouveau tourment   810
D'apprendre par ses pleurs à quel point elle l'aime:
Je la verrai gémir; je la plaindrai moi-même.
Pour fruit de tant d'amour, j'aurai le triste emploi
De recueillir des pleurs qui ne sont pas pour moi.

ARSACE.

Quoi? ne vous plairez-vous qu'à vous gêner sans cesse? 815
Jamais dans un grand cœur vit-on plus de faiblesse?
Ouvrez les yeux, Seigneur, et songeons entre nous
Par combien de raisons Bérénice est à vous.

Puisque aujourd'hui Titus ne prétend plus lui plaire,
Songez que votre hymen lui devient nécessaire.   820

ANTIOCHUS.

Nécessaire?

ARSACE.

        A ses pleurs accordez quelques jours;
De ses premiers sanglots laissez passer le cours:
Tout parlera pour vous, le dépit, la vengeance,
L'absence de Titus, le temps, votre présence.
Trois sceptres que son bras ne peut seul soutenir,   825
Vos deux États voisins qui cherchent à s'unir.
L'intérêt, la raison, l'amitié, tout vous lie.

ANTIOCHUS.

Oui, je respire, Arsace; et tu me rends la vie:
J'accepte avec plaisir un présage si doux.
Que tardons-nous? Faisons ce qu'on attend de nous.   830
Entrons chez Bérénice; et, puisqu'on nous l'ordonne,
Allons lui déclarer que Titus l'abandonne.
Mais plutôt demeurons. Que faisais-je? Est-ce à moi,
Arsace, à me charger de ce cruel emploi?
Soit vertu, soit amour, mon cœur s'en effarouche.   835
L'aimable Bérénice entendrait de ma bouche
Qu'on l'abandonne! Ah! Reine, et qui l'aurait pensé,
Que ce mot dût jamais vous être prononcé!

ARSACE.

La haine sur Titus tombera toute entière.
Seigneur, si vous parlez, ce n'est qu'à sa prière.   840

ANTIOCHUS.

Non, ne la voyons point. Respectons sa douleur:
Assez d'autres viendront lui conter son malheur.
Et ne la crois-tu pas assez infortunée
D'apprendre à quel mépris Titus l'a condamnée,
Sans lui donner encor le déplaisir fatal   845
D'apprendre ce mépris par son propre rival?
Encore un coup, fuyons; et par cette nouvelle
N'allons point nous charger d'une haine immortelle.

ARSACE.

Ah! la voici, Seigneur; prenez votre parti.

ANTIOCHUS.

O ciel!

SCÈNE III: Bérénice, Antiochus, Arsace,
Phénice.

BÉRÉNICE.

Hé quoi? Seigneur! vous n'êtes point parti?   850

ANTIOCHUS.

Madame, je vois bien que vous êtes déçue,
Et que c'était César que cherchait votre vue.
Mais n'accusez que lui, si, malgré mes adieux,
De ma présence encor j'importune vos yeux.
Peut-être en ce moment je serais dans Ostie,   855
S'il ne m'eût de sa cour défendu la sortie.

BÉRÉNICE.

Il vous cherche vous seul. Il nous évite tous.

ANTIOCHUS.

Il ne m'a retenu que pour parler de vous.

BÉRÉNICE.

De moi, Prince?

ANTIOCHUS.

Oui, Madame.

BÉRÉNICE.

Et qu'a-t-il pu vous dire?

ANTIOCHUS.

Mille autres mieux que moi pourront vous en instruire. 860

BÉRÉNICE.

Quoi! Seigneur...

ANTIOCHUS.

Suspendez votre ressentiment.
D'autres, loin de se taire en ce même moment,
Triompheraient peut-être, et, pleins de confiance,
Céderaient avec joie à votre impatience.
Mais moi, toujours tremblant, moi, vous le savez bien, 865
A qui votre repos est plus cher que le mien,
Pour ne le point troubler, j'aime mieux vous déplaire,
Et crains votre douleur plus que votre colère.
Avant la fin du jour vous me justifierez.
Adieu, Madame.

BÉRÉNICE.

O ciel! quel discours! Demeurez.   870
Prince, c'est trop cacher mon trouble à votre vue:
Vous voyez devant vous une reine éperdue,
Qui, la mort dans le sein, vous demande deux mots.
Vous craignez, dites-vous, de troubler mon repos;
Et vos refus cruels, loin d'épargner ma peine,   875
Excitent ma douleur, ma colère, ma haine.
Seigneur, si mon repos vous est si précieux,
Si moi-même jamais je fus chère à vos yeux,
Éclaircissez le trouble où vous voyez mon âme.
Que vous a dit Titus?

ANTIOCHUS.

Au nom des Dieux, Madame...   880

BÉRÉNICE.

Quoi! vous craignez si peu de me désobéir?

ANTIOCHUS.

Je n'ai qu'à vous parler pour me faire haïr.

BÉRÉNICE.

Je veux que vous parliez.

ANTIOCHUS.

Dieux! quelle violence!
Madame, encore un coup, vous louerez mon silence.

BÉRÉNICE.

Prince, dès ce moment contentez mes souhaits,   885
Ou soyez de ma haine assuré pour jamais.

ANTIOCHUS.

Madame, après cela, je ne puis plus me taire.
Hé bien, vous le voulez, il faut vous satisfaire.
Mais ne vous flattez point : je vais vous annoncer
Peut-être des malheurs où vous n'osez penser.   890
Je connais votre cœur : vous devez vous attendre
Que je le vais frapper par l'endroit le plus tendre.
Titus m'a commandé...

BÉRÉNICE.

Quoi ?

ANTIOCHUS.

De vous déclarer
Qu'à jamais l'un de l'autre il faut vous séparer.

BÉRÉNICE.

Nous séparer ? Qui ? Moi ? Titus de Bérénice ?   895

ANTIOCHUS.

Il faut que devant vous je lui rende justice.
Tout ce que, dans un cœur sensible et généreux,
L'amour au désespoir peut rassembler d'affreux,
Je l'ai vu dans le sien. Il pleure, il vous adore.
Mais enfin que lui sert de vous aimer encore ?   900
Une reine est suspecte à l'empire romain.
Il faut vous séparer, et vous partez demain.

BÉRÉNICE.

Nous séparer ! Hélas ! Phénice !

PHÉNICE.

Hé bien, Madame,
Il faut ici montrer la grandeur de votre âme.
Ce coup sans doute est rude; il doit vous étonner. 905

BÉRÉNICE.

Après tant de serments, Titus m'abandonner!
Titus qui me jurait... Non, je ne le puis croire:
Il ne me quitte point, il y va de sa gloire.
Contre son innocence on veut me prévenir.
Ce piège n'est tendu que pour nous désunir. 910
Titus m'aime. Titus ne veut point que je meure.
Allons le voir: je veux lui parler tout à l'heure.
Allons.

ANTIOCHUS.

Quoi? vous pourriez ici me regarder...

BÉRÉNICE.

Vous le souhaitez trop pour me persuader.
Non, je ne vous crois point. Mais, quoi qu'il en puisse
        être, 915
Pour jamais à mes yeux gardez-vous de paraître.
        (*A Phénice.*)
Ne m'abandonne pas dans l'état où je suis.
Hélas! pour me tromper je fais ce que je puis.

SCÈNE IV: ANTIOCHUS, ARSACE.

ANTIOCHUS.

Ne me trompé-je point? L'ai-je bien entendue?
Que je me garde, moi, de paraître à sa vue! 920

Je m'en garderai bien. Et ne partais-je pas,
Si Titus malgré moi n'eût arrêté mes pas?
Sans doute il faut partir. Continuons, Arsace.
Elle croit m'affliger; sa haine me fait grâce.
Tu me voyais tantôt inquiet, égaré; 925
Je partais amoureux, jaloux, désespéré;
Et maintenant, Arsace, après cette défense,
Je partirai peut-être avec indifférence.

ARSACE.

Moins que jamais, Seigneur, il faut vous éloigner.

ANTIOCHUS.

Moi! je demeurerai pour me voir dédaigner? 930
Des froideurs de Titus je serai responsable?
Je me verrai puni parce qu'il est coupable?
Avec quelle injustice et quelle indignité
Elle doute à mes yeux de ma sincérité!
Titus l'aime, dit-elle, et moi je l'ai trahie. 935
L'ingrate! m'accuser de cette perfidie!
Et dans quel temps encor? dans le moment fatal
Que j'étale à ses yeux les pleurs de mon rival;
Que, pour la consoler, je le faisais paraître
Amoureux et constant plus qu'il ne l'est peut-être. 940

ARSACE.

Et de quel soin, Seigneur, vous allez-vous troubler?
Laissez à ce torrent le temps de s'écouler:
Dans huit jours, dans un mois, n'importe, il faut qu'il
        passe.
Demeurez seulement.

ANTIOCHUS.

Non, je la quitte, Arsace.
Je sens qu'à sa douleur je pourrais compatir: 945
Ma gloire, mon repos, tout m'excite à partir.
Allons; et de si loin évitons la cruelle
Que de longtemps, Arsace, on ne nous parle d'elle.
Toutefois il nous reste encore assez de jour:
Je vais dans mon palais attendre ton retour. 950
Va voir si la douleur ne l'a point trop saisie.
Cours; et partons du moins assurés de sa vie.

ACTE QUATRIÈME

Scène Première: Bérénice *seule*.

Phénice ne vient point! Moments trop rigoureux,
Que vous paraissez lents à mes rapides vœux!
Je m'agite, je cours, languissante, abattue;   955
La force m'abandonne, et le repos me tue.
Phénice ne vient point.   Ah! que cette longueur
D'un présage funeste épouvante mon cœur!
Phénice n'aura point de réponse à me rendre.
Titus, l'ingrat Titus n'a point voulu l'entendre;   960
Il fuit, il se dérobe à ma juste fureur.

Scène II: Bérénice, Phénice.

BÉRÉNICE.

Chère Phénice, hé bien! as-tu vu l'Empereur?
Qu'a-t-il dit? Viendra-t-il?

PHÉNICE.

                           Oui, je l'ai vu, Madame,
Et j'ai peint à ses yeux le trouble de votre âme.
J'ai vu couler des pleurs qu'il voulait retenir.   965

BÉRÉNICE.

Vient-il?

PHÉNICE.

            N'en doutez point, Madame, il va venir.
Mais voulez-vous paraître en ce désordre extrême?
Remettez-vous, Madame, et rentrez en vous-même.

Laissez-moi relever ces voiles détachés,
Et ces cheveux épars dont vos yeux sont cachés.   970
Souffrez que de vos pleurs je répare l'outrage.

BÉRÉNICE.

Laisse, laisse, Phénice, il verra son ouvrage.
Eh que m'importe, hélas! de ces vains ornements?
Si ma foi, si mes pleurs, si mes gémissements,
Mais que dis-je, mes pleurs? si ma perte certaine,   975
Si ma mort toute prête enfin ne le ramène,
Dis-moi, que produiront tes secours superflus,
Et tout ce faible éclat qui ne le touche plus?

PHÉNICE.

Pourquoi lui faites-vous cet injuste reproche?
J'entends du bruit, Madame, et l'Empereur
          s'approche.   980
Venez, fuyez la foule, et rentrons promptement:
Vous l'entretiendrez seul dans votre appartement.

SCÈNE III: TITUS, PAULIN, SUITE.

TITUS.

De la Reine, Paulin, flattez l'inquiétude:
Je vais la voir. Je veux un peu de solitude.
Que l'on me laisse.

PAULIN.

          O ciel! que je crains ce combat!   985
Grands Dieux, sauvez sa gloire et l'honneur de l'État!
Voyons la Reine.

Scène IV: Titus *seul.*

Hé bien! Titus, que viens-tu faire?
Bérénice t'attend. Où viens-tu, téméraire?
Tes adieux sont-ils prêts? T'es-tu bien consulté?
Ton cœur te promet-il assez de cruauté?   990
Car enfin au combat qui pour toi se prépare
C'est peu d'être constant, il faut être barbare.
Soutiendrai-je ces yeux dont la douce langueur
Sait si bien découvrir les chemins de mon cœur?
Quand je verrai ces yeux armés de tous leurs charmes, 995
Attachés sur les miens, m'accabler de leurs larmes,
Me souviendrai-je alors de mon triste devoir?
Pourrai-je dire enfin: " Je ne veux plus vous voir "?
Je viens percer un cœur que j'adore, qui m'aime.
Et pourquoi le percer? Qui l'ordonne? Moi-même: 1000
Car enfin Rome a-t-elle expliqué ses souhaits?
L'entendons-nous crier autour de ce palais?
Vois-je l'État penchant au bord du précipice?
Ne le puis-je sauver que par ce sacrifice?
Tout se tait; et moi seul, trop prompt à me troubler, 1005
J'avance des malheurs que je puis reculer.
Et qui sait si, sensible aux vertus de la Reine,
Rome ne voudra point l'avouer pour Romaine?
Rome peut par son choix justifier le mien.
Non, non, encore un coup, ne précipitons rien.   1010
Que Rome, avec ses lois, mette dans la balance
Tant de pleurs, tant d'amour, tant de persévérance,
Rome sera pour nous. Titus, ouvre les yeux!

Quel air respires-tu? N'es-tu pas dans ces lieux
Où la haine des rois, avec le lait sucée,   1015
Par crainte ou par amour ne peut être effacée?
Rome jugea ta reine en condamnant ses rois.
N'as-tu pas en naissant entendu cette voix?
Et n'as-tu pas encore ouï la renommée
T'annoncer ton devoir jusque dans ton armée?   1020
Et lorsque Bérénice arriva sur tes pas,
Ce que Rome jugeait, ne l'entendis-tu pas?
Faut-il donc tant de fois te le faire redire?
Ah! lâche! fais l'amour et renonce à l'Empire.
Au bout de l'univers va, cours te confiner,   1025
Et fais place à des cœurs plus dignes de régner.
Sont-ce là ces projets de grandeur et de gloire
Qui devaient dans les cœurs consacrer ma mémoire?
Depuis huit jours je règne, et, jusques à ce jour,
Qu'ai-je fait pour l'honneur? J'ai tout fait pour
       l'amour.   1030
D'un temps si précieux quel compte puis-je rendre?
Où sont ces heureux jours que je faisais attendre?
Quels pleurs ai-je séchés? Dans quels yeux satisfaits
Ai-je déjà goûté le fruit de mes bienfaits?
L'univers a-t-il vu changer ses destinées?   1035
Sais-je combien le ciel m'a compté de journées?
Et de ce peu de jours si longtemps attendus,
Ah! malheureux! combien j'en ai déjà perdus!
   Ne tardons plus: faisons ce que l'honneur exige;
Rompons le seul lien...

Scène V: Bérénice, Titus.

BÉRÉNICE, *en sortant.*

   Non, laissez-moi, vous dis-je. 1040
En vain tous vos conseils me retiennent ici.
Il faut que je le voie. Ah! Seigneur! vous voici.
Hé bien, il est donc vrai que Titus m'abandonne?
Il faut nous séparer. Et c'est lui qui l'ordonne.

TITUS.

N'accablez point, Madame, un prince malheureux, 1045
Il ne faut point ici nous attendrir tous deux.
Un trouble assez cruel m'agite et me dévore,
Sans que des pleurs si chers me déchirent encore.
Rappelez bien plutôt ce cœur, qui tant de fois
M'a fait de mon devoir reconnaître la voix. 1050
Il en est temps. Forcez votre amour à se taire;
Et d'un œil que la gloire et la raison éclaire
Contemplez mon devoir dans toute sa rigueur.
Vous-même, contre vous, fortifiez mon cœur;
Aidez-moi, s'il se peut, à vaincre sa faiblesse, 1055
A retenir des pleurs qui m'échappent sans cesse;
Ou, si nous ne pouvons commander à nos pleurs,
Que la gloire du moins soutienne nos douleurs,
Et que tout l'univers reconnaisse sans peine
Les pleurs d'un empereur et les pleurs d'une reine. 1060
Car enfin, ma Princesse, il faut nous séparer.

BÉRÉNICE.

Ah! cruel! est-il temps de me le déclarer?
Qu'avez-vous fait? Hélas! je me suis crue aimée.
Au plaisir de vous voir mon âme accoutumée
Ne vit plus que pour vous. Ignoriez-vous vos lois, 1065
Quand je vous l'avouai pour la première fois?
A quel excès d'amour m'avez-vous amenée!
Que ne me disiez-vous: "Princesse infortunée,
Où vas-tu t'engager, et quel est ton espoir?
Ne donne point un cœur qu'on ne peut recevoir." 1070
Ne l'avez-vous reçu, cruel, que pour le rendre,
Quand de vos seules mains ce cœur voudrait dépendre?
Tout l'Empire a vingt fois conspiré contre nous.
Il était temps encor: que ne me quittiez-vous?
Mille raisons alors consolaient ma misère: 1075
Je pouvais de ma mort accuser votre père,
Le peuple, le sénat, tout l'empire romain,
Tout l'univers, plutôt qu'une si chère main.
Leur haine, dès longtemps contre moi déclarée,
M'avait à mon malheur dès longtemps préparée. 1080
Je n'aurais pas, Seigneur, reçu ce coup cruel
Dans le temps que j'espère un bonheur immortel,
Quand votre heureux amour peut tout ce qu'il désire,
Lorsque Rome se tait, quand votre père expire,
Lorsque tout l'univers fléchit à vos genoux, 1085
Enfin quand je n'ai plus à redouter que vous.

TITUS.

Et c'est moi seul aussi qui pouvais me détruire.
Je pouvais vivre alors et me laisser séduire.
Mon cœur se gardait bien d'aller dans l'avenir
Chercher ce qui pouvait un jour nous désunir.   1090
Je voulais qu'à mes vœux rien ne fût invincible,
Je n'examinais rien, j'espérais l'impossible.
Que sais-je? J'espérais de mourir à vos yeux
Avant que d'en venir à ces cruels adieux.
Les obstacles semblaient renouveler ma flamme.   1095
Tout l'Empire parlait. Mais la gloire, Madame,
Ne s'était point encor fait entendre à mon cœur
Du ton dont elle parle au cœur d'un empereur.
Je sais tous les tourments où ce dessein me livre:
Je sens bien que sans vous je ne saurais plus vivre, 1100
Que mon cœur de moi-même est prêt à s'éloigner;
Mais il ne s'agit plus de vivre, il faut régner.

BÉRÉNICE.

Hé bien! régnez, cruel; contentez votre gloire:
Je ne dispute plus. J'attendais, pour vous croire,
Que cette même bouche, après mille serments   1105
D'un amour qui devait unir tous nos moments,
Cette bouche, à mes yeux s'avouant infidèle,
M'ordonnât elle-même une absence éternelle.
Moi-même, j'ai voulu vous entendre en ce lieu.
Je n'écoute plus rien, et pour jamais adieu.   1110
Pour jamais! Ah! Seigneur! songez-vous en vous-même
Combien ce mot cruel est affreux quand on aime?

Dans un mois, dans un an, comment souffrirons-nous,
Seigneur, que tant de mers me séparent de vous?
Que le jour recommence et que le jour finisse   1115
Sans que jamais Titus puisse voir Bérénice,
Sans que de tout le jour je puisse voir Titus?
Mais quelle est mon erreur, et que de soins perdus!
L'ingrat, de mon départ consolé par avance,
Daignera-t-il compter les jours de mon absence?   1120
Ces jours, si longs pour moi, lui sembleront trop courts.

TITUS.

Je n'aurai pas, Madame, à compter tant de jours.
J'espère que bientôt la triste renommée
Vous fera confesser que vous étiez aimée.
Vous verrez que Titus n'a pu, sans expirer...   1125

BÉRÉNICE.

Ah! Seigneur, s'il est vrai, pourquoi nous séparer?
Je ne vous parle point d'un heureux hyménée:
Rome à ne vous plus voir m'a-t-elle condamnée?
Pourquoi m'enviez-vous l'air que vous respirez?

TITUS.

Hélas! vous pouvez tout, Madame. Demeurez: 1130
Je n'y résiste point. Mais je sens ma faiblesse:
Il faudra vous combattre et vous craindre sans cesse,
Et sans cesse veïller à retenir mes pas,
Que vers vous à toute heure entraînent vos appas.
Que dis-je? en ce moment mon cœur, hors de lui-
    même,   1135
S'oublie et se souvient seulement qu'il vous aime.

BÉRÉNICE.

Hé bien! Seigneur, hé bien! qu'en peut-il arriver?
Voyez-vous les Romains prêts à se soulever?

TITUS.

Et qui sait de quel œil ils prendront cette injure?
S'ils parlent, si les cris succèdent au murmure,　　1140
Faudra-t-il par le sang justifier mon choix?
S'ils se taisent, Madame, et me vendent leurs lois,
A quoi m'exposez-vous? Par quelle complaisance
Faudra-t-il quelque jour payer leur patience?
Que n'oseront-ils point alors me demander?　　1145
Maintiendrai-je des lois que je ne puis garder?

BÉRÉNICE.

Vous ne comptez pour rien les pleurs de Bérénice.

TITUS.

Je les compte pour rien! Ah! ciel! quelle injustice!

BÉRÉNICE.

Quoi! pour d'injustes lois que vous pouvez changer,
En d'éternels chagrins vous-même vous plonger?　　1150
Rome a ses droits, Seigneur : n'avez-vous pas les vôtres?
Ses intérêts sont-ils plus sacrés que les nôtres?
Dites, parlez.

TITUS.

Hélas! Que vous me déchirez!

BÉRÉNICE.

Vous êtes empereur, Seigneur, et vous pleurez!

TITUS.

Oui, Madame, il est vrai, je pleure, je soupire, 1155
Je frémis. Mais enfin, quand j'acceptai l'Empire,
Rome me fit jurer de maintenir ses droits:
Il les faut maintenir. Déjà plus d'une fois
Rome a de mes pareils exercé la constance.
Ah! si vous remontiez jusques à sa naissance, 1160
Vous les verriez toujours à ses ordres soumis.
L'un, jaloux de sa foi, va chez les ennemis
Chercher avec la mort la peine toute prête;
D'un fils victorieux l'autre proscrit la tête;
L'autre avec des yeux secs et presque indifférents, 1165
Voit mourir ses deux fils, par son ordre expirants.
Malheureux! Mais toujours la patrie et la gloire
Ont parmi les Romains remporté la victoire.
Je sais qu'en vous quittant le malheureux Titus
Passe l'austérité de toutes leurs vertus; 1170
Qu'elle n'approche point de cet effort insigne;
Mais, Madame, après tout, me croyez-vous indigne
De laisser un exemple à la postérité,
Qui sans de grands efforts ne puisse être imité?

BÉRÉNICE.

Non, je crois tout facile à votre barbarie. 1175
Je vous crois digne, ingrat, de m'arracher la vie.
De tous vos sentiments mon cœur est éclairci.
Je ne vous parle plus de me laisser ici.
Qui, moi? j'aurais voulu, honteuse et méprisée,
D'un peuple qui me hait soutenir la risée? 1180

J'ai voulu vous pousser jusques à ce refus.
C'en est fait, et bientôt vous ne me craindrez plus.
N'attendez pas ici que j'éclate en injures,
Que j'atteste le ciel, ennemi des parjures.
Non, si le ciel encore est touché de mes pleurs,   1185
Je le prie, en mourant, d'oublier mes douleurs.
Si je forme des vœux contre votre injustice,
Si devant que mourir la triste Bérénice
Vous veut de son trépas laisser quelque vengeur,
Je ne le cherche, ingrat, qu'au fond de votre cœur.   1190
Je sais que tant d'amour n'en peut être effacée;
Que ma douleur présente et ma bonté passée,
Mon sang, qu'en ce palais je veux même verser,
Sont autant d'ennemis que je vais vous laisser;
Et, sans me repentir de ma persévérance,   1195
Je me remets sur eux de toute ma vengeance.
Adieu.

Scène VI: Titus, Paulin.

PAULIN.

Dans quel dessein vient-elle de sortir,
Seigneur? Est-elle enfin disposée à partir?

TITUS.

Paulin, je suis perdu, je n'y pourrai survivre.
La Reine veut mourir. Allons, il faut la suivre.   1200
Courons à son secours.

PAULIN.

Hé quoi! n'avez-vous pas
Ordonné dès tantôt qu'on observe ses pas?

Ses femmes, à toute heure autour d'elle empressées,
Sauront la détourner de ces tristes pensées.
Non, non, ne craignez rien. Voilà les plus grands
      coups, 1205
Seigneur; continuez, la victoire est à vous.
Je sais que sans pitié vous n'avez pu l'entendre;
Moi-même, en la voyant, je n'ai pu m'en défendre.
Mais regardez plus loin: songez, en ce malheur,
Quelle gloire va suivre un moment de douleur, 1210
Quels applaudissements l'univers vous prépare,
Quel rang dans l'avenir.

TITUS.

      Non, je suis un barbare;
Moi-même, je me hais. Néron, tant détesté,
N'a point à cet excès poussé sa cruauté.
Je ne souffrirai point que Bérénice expire. 1215
Allons, Rome en dira ce qu'elle en voudra dire.

PAULIN.

Quoi! Seigneur!

TITUS.

      Je ne sais, Paulin, ce que je dis.
L'excès de la douleur accable mes esprits.

PAULIN.

Ne troublez point le cours de votre renommée:
Déjà de vos adieux la nouvelle est semée. 1220
Rome, qui gémissait, triomphe avec raison;
Tous les temples ouverts fument en votre nom:

Et le peuple, élevant vos vertus jusqu'aux nues,
Va partout de lauriers couronner vos statues.

TITUS.

Ah! Rome! Ah! Bérénice! Ah! prince malheureux! 1225
Pourquoi suis-je empereur? Pourquoi suis-je amoureux?

SCÈNE VII: TITUS, ANTIOCHUS, PAULIN, ARSACE.

ANTIOCHUS.

Qu'avez-vous fait, Seigneur? l'aimable Bérénice
Va peut-être expirer dans les bras de Phénice.
Elle n'entend ni pleurs, ni conseil, ni raison;
Elle implore à grands cris le fer et le poison.   1230
Vous seul vous lui pouvez arracher cette envie.
On vous nomme, et ce nom la rappelle à la vie.
Ses yeux, toujours tournés vers votre appartement,
Semblent vous demander de moment en moment.
Je n'y puis résister: ce spectacle me tue.   1235
Que tardez-vous? Allez vous montrer à sa vue.
Sauvez tant de vertus, de grâces, de beauté, •
Ou renoncez, Seigneur, à toute humanité.
Dites un mot.

TITUS.

                    Hélas! quel mot puis-je lui dire?
Moi-même en ce moment sais-je si je respire?   1240

SCÈNE VIII: TITUS, ANTIOCHUS, PAULIN,
ARSACE, RUTILE.

RUTILE.

Seigneur, tous les tribuns, les consuls, le sénat,
Viennent vous demander au nom de tout l'État.
Un grand peuple les suit, qui, plein d'impatience,
Dans votre appartement attend votre présence.

TITUS.

Je vous entends, grands Dieux! Vous voulez rassurer 1245
Ce cœur que vous voyez tout prêt à s'égarer.

PAULIN.

Venez, Seigneur, passons dans la chambre prochaine:
Allons voir le sénat.

ANTIOCHUS.

Ah! courez chez la Reine.

PAULIN.

Quoi! vous pourriez, Seigneur, par cette indignité,
De l'Empire à vos pieds fouler la majesté?   1250
Rome...

TITUS.

Il suffit, Paulin, nous allons les entendre.
(A Antiochus.)
Prince, de ce devoir je ne puis me défendre.
Voyez la Reine. Allez. J'espère à mon retour
Qu'elle ne pourra plus douter de mon amour.

ACTE CINQUIÈME

Scène Première: Arsace, *seul*.

Où pourrai-je trouver ce prince trop fidèle ? 1255
Ciel, conduisez mes pas et secondez mon zèle.
Faites qu'en ce moment je lui puisse annoncer
Un bonheur où peut-être il n'ose plus penser.

Scène II: Antiochus, Arsace.

ARSACE.

Ah ! quel heureux destin en ces lieux vous renvoie,
Seigneur ?

ANTIOCHUS.

Si mon retour t'apporte quelque joie, 1260
Arsace, rends-en grâce à mon seul désespoir.

ARSACE.

La Reine part, Seigneur.

ANTIOCHUS.

Elle part ?

ARSACE.

Dès ce soir.
Ses ordres sont donnés. Elle s'est offensée
Que Titus à ses pleurs l'ait si longtemps laissée.
Un généreux dépit succède à sa fureur: 1265

Bérénice renonce à Rome, à l'Empereur,
Et même veut partir avant que Rome instruite
Puisse voir son désordre et jouir de sa fuite.
Elle écrit à César.

ANTIOCHUS.

O ciel! qui l'aurait cru?
Et Titus?

ARSACE.

A ses yeux Titus n'a point paru.   1270
Le peuple avec transport l'arrête et l'environne,
Applaudissant aux noms que le sénat lui donne;
Et ces noms, ces respects, ces applaudissements
Deviennent pour Titus autant d'engagements
Qui, le liant, Seigneur, d'une honorable chaîne,   1275
Malgré tous ses soupirs et les pleurs de la Reine,
Fixent dans son devoir ses vœux irrésolus.
C'en est fait; et peut-être il ne la verra plus.

ANTIOCHUS.

Que de sujets d'espoir, Arsace, je l'avoue!
Mais d'un soin si cruel la fortune me joue;   1280
J'ai vu tous mes projets tant de fois démentis,
Que j'écoute en tremblant tout ce que tu me dis;
Et mon cœur, prévenu d'une crainte importune,
Croit, même en espérant, irriter la fortune.
Mais que vois-je? Titus porte vers nous ses pas.   1285
Que veut-il?

Scène III: Titus, Antiochus, Arsace.

TITUS, *en entrant*.

Demeurez: qu'on ne me suive pas.
Enfin, Prince, je viens dégager ma promesse.
Bérénice m'occupe et m'afflige sans cesse.
Je viens, le cœur percé de vos pleurs et des siens,
Calmer des déplaisirs moins cruels que les miens.   1290
Venez, Prince, venez. Je veux bien que vous-même
Pour la dernière fois vous voyiez si je l'aime.

Scène IV: Antiochus, Arsace.

ANTIOCHUS.

Hé bien! voilà l'espoir que tu m'avais rendu;
Et tu vois le triomphe où j'étais attendu.
Bérénice partait justement irritée!   1295
Pour ne la plus revoir, Titus l'avait quittée!
Qu'ai-je donc fait, grands Dieux? Quel cours infortuné
A ma funeste vie aviez-vous destiné?
Tous mes moments ne sont qu'un éternel passage
De la crainte à l'espoir, de l'espoir à la rage.   1300
Et je respire encor? Bérénice! Titus!
Dieux cruels! de mes pleurs vous ne vous rirez plus.

Scène V: Titus, Bérénice, Phénice.

BÉRÉNICE.

Non, je n'écoute rien. Me voilà résolue:
Je veux partir. Pourquoi vous montrer à ma vue?

Pourquoi venir encore aigrir mon désespoir ?   1305
N'êtes-vous pas content ? Je ne veux plus vous voir.

TITUS.

Mais, de grâce, écoutez.

BÉRÉNICE.

Il n'est plus temps.

TITUS.

Madame,
Un mot.

BÉRÉNICE.

Non.

TITUS.

Dans quel trouble elle jette mon âme !
Ma princesse, d'où vient ce changement soudain ?

BÉRÉNICE.

C'en est fait. Vous voulez que je parte demain,   1310
Et moi, j'ai résolu de partir tout à l'heure :
Et je pars.

TITUS.

Demeurez.

BÉRÉNICE.

Ingrat, que je demeure !
Et pourquoi ? Pour entendre un peuple injurieux
Qui fait de mon malheur retentir tous ces lieux ?
Ne l'entendez-vous pas, cette cruelle joie,   1315
Tandis que dans les pleurs, moi seule, je me noie ?

Quel crime, quelle offense a pu les animer?
Hélas! et qu'ai-je fait que de vous trop aimer?

TITUS.

Écoutez-vous, Madame, une foule insensée?

BÉRÉNICE.

Je ne vois rien ici dont je ne sois blessée.   1320
Tout cet appartement préparé par vos soins,
Ces lieux, de mon amour si longtemps les témoins,
Qui semblaient pour jamais me répondre du vôtre,
Ces festons, où nos noms enlacés l'un dans l'autre
A mes tristes regards viennent partout s'offrir,   1325
Sont autant d'imposteurs que je ne puis souffrir.
Allons, Phénice.

TITUS.

O ciel! que vous êtes injuste!

BÉRÉNICE.

Retournez, retournez vers ce sénat auguste
Qui vient vous applaudir de votre cruauté.
Hé bien! avec plaisir l'avez-vous écouté?   1330
Êtes-vous pleinement content de votre gloire?
Avez-vous bien promis d'oublier ma mémoire?
Mais ce n'est pas assez expier vos amours:
Avez-vous bien promis de me haïr toujours?

TITUS.

Non, je n'ai rien promis. Moi, que je vous haïsse! 1335
Que je puisse jamais oublier Bérénice!

Ah Dieux! dans quel moment son injuste rigueur
De ce cruel soupçon vient affliger mon cœur!
Connaissez-moi, Madame; et, depuis cinq années,
Comptez tous les moments et toutes les journées   1340
Où par plus de transports et par plus de soupirs
Je vous ai de mon cœur exprimé les désirs:
Ce jour surpasse tout. Jamais, je le confesse,
Vous ne fûtes aimée avec tant de tendresse;
Et jamais...

BÉRÉNICE.

      Vous m'aimez, vous me le soutenez,   1345
Et cependant je pars, et vous me l'ordonnez!
Quoi! dans mon désespoir trouvez-vous tant de
      charmes?
Craignez-vous que mes yeux versent trop peu de larmes?
Que me sert de ce cœur l'inutile retour?
Ah cruel! par pitié montrez-moi moins d'amour.   1350
Ne me rappelez point une trop chère idée,
Et laissez-moi du moins partir persuadée
Que, déjà de votre âme exilée en secret,
J'abandonne un ingrat qui me perd sans regret.
    (*Titus lit une lettre.*)
Vous m'avez arraché ce que je viens d'écrire.   1355
Voilà de votre amour tout ce que je désire:
Lisez, ingrat, lisez, et me laissez sortir.

TITUS.

Vous ne sortirez point, je n'y puis consentir.
Quoi! ce départ n'est donc qu'un cruel stratagème?

Vous cherchez à mourir? Et de tout ce que j'aime 1360
Il ne restera plus qu'un triste souvenir!
Qu'on cherche Antiochus: qu'on le fasse venir.

(*Bérénice se laisse tomber sur un siège.*)

SCÈNE VI: TITUS, BÉRÉNICE.

TITUS.

Madame, il faut vous faire un aveu véritable:
Lorsque j'envisageai le moment redoutable
Où, pressé par les lois d'un austère devoir,   1365
Il fallait pour jamais renoncer à vous voir;
Quand de ce triste adieu je prévis les approches,
Mes craintes, mes combats, vos larmes, vos reproches,
Je préparai mon âme à toutes les douleurs
Que peut faire sentir le plus grand des malheurs;   1370
Mais, quoi que je craignisse, il faut que je le die,
Je n'en avais prévu que la moindre partie;
Je croyais ma vertu moins prête à succomber,
Et j'ai honte du trouble où je la vois tomber.
J'ai vu devant mes yeux Rome entière assemblée;   1375
Le sénat m'a parlé; mais mon âme accablée
Écoutait sans entendre et ne leur a laissé
Pour prix de leurs transports, qu'un silence glacé.
Rome de votre sort est encore incertaine.
Moi-même à tous moments je me souviens à peine 1380
Si je suis empereur ou si je suis Romain.
Je suis venu vers vous sans savoir mon dessein:
Mon amour m'entraînait; et je venais peut-être

Pour me chercher moi-même, et pour me reconnaître.
Qu'ai-je trouvé? Je vois la mort peinte en vos yeux; 1385
Je vois, pour la chercher, que vous quittez ces lieux:
C'en est trop. Ma douleur, à cette triste vue,
A son dernier excès est enfin parvenue.
Je ressens tous les maux que je puis ressentir;
Mais je vois le chemin par où j'en puis sortir.   1390
  Ne vous attendez point que, las de tant d'alarmes,
Par un heureux hymen je tarisse vos larmes.
En quelque extrémité que vous m'ayez réduit,
Ma gloire inexorable à toute heure me suit;
Sans cesse elle présente à mon âme étonnée   1395
L'Empire incompatible avec votre hyménée,
Me dit qu'après l'éclat et les pas que j'ai faits,
Je dois vous épouser encor moins que jamais.
  Oui, Madame. Et je dois moins encore vous dire
Que je suis prêt pour vous d'abandonner l'Empire, 1400
De vous suivre, et d'aller, trop content de mes fers
Soupirer avec vous au bout de l'univers.
Vous-même rougiriez de ma lâche conduite:
Vous verriez à regret marcher à votre suite
Un indigne empereur sans empire, sans cour,   1405
Vil spectacle aux humains des faiblesses d'amour.
  Pour sortir des tourments dont mon âme est la proie,
Il est, vous le savez, une plus noble voie.
Je me suis vu, Madame, enseigner ce chemin,
Et par plus d'un héros et par plus d'un Romain.   1410
Lorsque trop de malheurs ont lassé leur constance,
Ils ont tous expliqué cette persévérance

Dont le sort s'attachait à les persécuter
Comme un ordre secret de n'y plus résister.
Si vos pleurs plus longtemps viennent frapper ma
      vue,   1415
Si toujours à mourir je vous vois résolue,
S'il faut qu'à tous moments je tremble pour vos jours,
Si vous ne me jurez d'en respecter le cours,
Madame, à d'autres pleurs vous devez vous attendre,
En l'état où je suis je puis tout entreprendre: 1420
Et je ne réponds pas que ma main à vos yeux
N'ensanglante à la fin nos funestes adieux.

BÉRÉNICE.

Hélas!

TITUS.

    Non, il n'est rien dont je ne sois capable.
Vous voilà de mes jours maintenant responsable.
Songez-y bien, Madame; et, si je vous suis cher... 1425

SCÈNE VII: TITUS, BÉRÉNICE, ANTIOCHUS.

TITUS.

Venez, Prince, venez, je vous ai fait chercher.
Soyez ici témoin de toute ma faiblesse;
Voyez si c'est aimer avec peu de tendresse.
Jugez-nous.

ANTIOCHUS.

      Je crois tout: je vous connais tous deux.
Mais connaissez vous-même un prince malheureux. 1430
Vous m'avez honoré, Seigneur, de votre estime;

Et moi, je puis ici vous le jurer sans crime,
A vos plus chers amis j'ai disputé ce rang;
Je l'ai disputé même aux dépens de mon sang.
Vous m'avez, malgré moi, confié l'un et l'autre,   1435
La Reine son amour, et vous, Seigneur, le vôtre.
La Reine, qui m'entend, peut me désavouer;
Elle m'a vu toujours, ardent à vous louer,
Répondre par mes soins à votre confidence.
Vous croyez m'en devoir quelque reconnaissance;   1440
Mais le pourriez-vous croire, en ce moment fatal,
Qu'un ami si fidèle était votre rival?

TITUS.

Mon rival!
ANTIOCHUS.

      Il est temps que je vous éclaircisse.
Oui, Seigneur, j'ai toujours adoré Bérénice.
Pour ne la plus aimer j'ai cent fois combattu.   1445
Je n'ai pu l'oublier; au moins je me suis tu.
De votre changement la flatteuse apparence
M'avait rendu tantôt quelque faible espérance:
Les larmes de la Reine ont éteint cet espoir.
Ses yeux, baignés de pleurs, demandaient à vous
      voir: 1450
Je suis venu, Seigneur, vous appeler moi-même;
Vous êtes revenu. Vous aimez, on vous aime;
Vous vous êtes rendu: je n'en ai point douté.
Pour la dernière fois je me suis consulté;
J'ai fait de mon courage une épreuve dernière;   1455
Je viens de rappeler ma raison toute entière:

Jamais je ne me suis senti plus amoureux.
Il faut d'autres efforts pour rompre tant de nœuds;
Ce n'est qu'en expirant que je puis les détruire;
J'y cours. Voilà de quoi j'ai voulu vous instruire.　　1460
　　Oui, Madame, vers vous j'ai rappelé ses pas.
Mes soins ont réussi, je ne m'en repens pas.
Puisse le ciel verser sur toutes vos années
Mille prospérités l'une à l'autre enchaînées!
Ou, s'il vous garde encore un reste de courroux,　　1465
Je conjure les Dieux d'épuiser tous les coups
Qui pourraient menacer une si belle vie,
Sur ces jours malheureux que je vous sacrifie.

BÉRÉNICE, se levant.

Arrêtez, arrêtez! Princes trop généreux,
En quelle extrémité me jetez-vous tous deux!　　1470
Soit que je vous regarde ou que je l'envisage,
Partout du désespoir je rencontre l'image,
Je ne vois que des pleurs, et je n'entends parler
Que de trouble, d'horreurs, de sang prêt à couler.
　　(<i>A Titus.</i>)
Mon cœur vous est connu, Seigneur, et je puis dire 1475
Qu'on ne l'a jamais vu soupirer pour l'Empire.
La grandeur des Romains, la pourpre des Césars
N'a point, vous le savez, attiré mes regards.
J'aimais, Seigneur, j'aimais: je voulais être aimée.
Ce jour, je l'avouerai, je me suis alarmée:　　1480
J'ai cru que votre amour allait finir son cours.
Je connais mon erreur, et vous m'aimez toujours.

Votre cœur s'est troublé, j'ai vu couler vos larmes:
Bérénice, Seigneur, ne vaut point tant d'alarmes,
Ni que par votre amour l'univers malheureux,   1485
Dans le temps que Titus attire tous ses vœux
Et que de vos vertus il goûte les prémices,
Se voie en un moment enlever ses délices.
Je crois, depuis cinq ans jusqu'à ce dernier jour,
Vous avoir assuré d'un véritable amour.   1490
Ce n'est pas tout: je veux, en ce moment funeste,
Par un dernier effort couronner tout le reste.
Je vivrai, je suivrai vos ordres absolus.
Adieu, Seigneur. Régnez: je ne vous verrai plus.
      (*A Antiochus.*)
Prince, après cet adieu, vous jugez bien vous-même 1495
Que je ne consens pas de quitter ce que j'aime,
Pour aller loin de Rome écouter d'autres vœux.
Vivez, et faites-vous un effort généreux.
Sur Titus et sur moi réglez votre conduite:
Je l'aime, je le fuis; Titus m'aime, il me quitte.   1500
Portez loin de mes yeux vos soupirs et vos fers.
Adieu: servons tous trois d'exemple à l'univers
De l'amour la plus tendre et la plus malheureuse
Dont il puisse garder l'histoire douloureuse.

      Tout est prêt. On m'attend. Ne suivez point mes
            pas.   1505
      (*A Titus.*)
Pour la dernière fois, adieu, Seigneur.

                   ANTIOCHUS.
                              Hélas!

NOTES

DEDICATION AND PREFACE

1. **Colbert** — Minister of finance under Louis XIV. It was a universally accepted practice in the seventeenth century for authors to dedicate their works to some powerful patron from whom they might receive pensions or other favors. It has been pointed out that the plays composed after 'Bérénice' bore no dedication. (See Introduction.)

2. **Titus, etc.** Suetonius, Titus, ch. VII.

3. In this paragraph Racine wishes to show that he has followed closely the Aristotelian rules of dramatic composition. These were an inheritance from the days of the Revival of Learning. It was felt that modern authors were great in proportion as their performance was patterned after the works of antiquity.

4. Racine's natural love for simplicity fell in with the Aristotelian rulings on verisimilitude or on the necessity of having the plot of a tragedy and the actions of the characters such as to be recognized by the audience as easily possible and true to life.

5. This is a hostile reference to the Abbé de Villars who had written an unfavorable criticism of 'Bérénice.' This writer was a typical Aristotelian pedant for whom a play was good or bad in proportion as it followed or did not follow the rules of dramatic composition derived from Aristotle's Poetics.

BÉRÉNICE

The titles given in the preface of each act are translations of those suggested by Michaut in the work referred to in the Introduction.

They are useful in showing that the queen and not Titus is the principal character of the tragedy. Bérénice is the only one to show growth or evolution during the course of the play. Titus is weak at times but he does not actually change his mind once, while Antiochus is the same from beginning to end. Bérénice, on the contrary, is in a totally different frame of mind at the end of the play from that in which she was at the beginning. Acts two, three, and four show the logical steps required for her to pass from a state of blind hopefulness to one of firm resignation. The character of Bérénice has been compared to a variable evolving between two constants.

ACT I

Antiochus is certain that Titus is about to marry Bérénice. Since he himself secretly loves the queen, he decides to leave the court before the consummation of a marriage which means the ruin of his hopes. He bids farewell to the queen who begs him to give the reason for his sudden departure. Antiochus can not withstand the temptation and reveals his love. Bérénice, filled as she is with the thought of Titus, is fired with indignation at the audacity of Antiochus. She drives him away with words full of passionate scorn.

In this, Bérénice acts very much like Hermione, in Racine's 'Andromaque,' who urges Orestes to murder her lover Pyrrhus. When Orestes returns, having done her bidding, she violently turns upon the poor wretch heaping such curses upon him, at a time when he expected to be praised and rewarded, that he instantly goes mad.

Throughout the act, Bérénice, in spite of the warning words of her maid in waiting, confidently expects to marry Titus. For that reason, Michaut summed up the act in this one statement: "Bérénice deluded."

Titus, Antiochus and Bérénice are well known historical characters.

Titus was born in the year 40 A.D. He was the son of the emperor Vespasian, who ruled from 70 to 79 A.D., and who in 66 had been appointed to carry on the war in Judaea. Titus, after serving in Germany and in Britain, joined his father in the Orient. He was left in charge of the siege of Jerusalem when Vespasian returned to Italy, and he captured the city on the 8th of September, 70. The arch of Titus in Rome commemorates the bloody event. Upon returning to Rome, Titus was associated with his father in the government of the empire and succeeded him as emperor of the Romans in 79. He ruled until his death in 81.

During the lifetime of his father, Titus had a reputation for profligacy and cruelty. Upon becoming an emperor, he seems to have been sobered down by responsibility. It was then that he sent Bérénice back to Judaea, which separation is the subject of Racine's tragedy.

The Antiochus of the play was Antiochus IV of Commagene, a kingdom of the Orient which suffered various fortunes as an ally of Rome. That ruler aided Titus in the siege of Jerusalem but was deposed in 72, on a charge of treason. He then retired to Rome where some historians claim that he was treated with great respect and honor. It may be that he lived long enough to witness the separation of Titus and Bérénice, but of that we have no historical proof nor do we know what were his relations to the Jewish queen.

Bérénice was born about 24 A.D. She was married three times. When she joined Titus in Rome, she had already passed middle life. In the war between the Jews and the Romans, she first sided with her compatriots, but in 66 her palace was burned down by a mob in the course of a riot and the queen went over to the Roman side.

The other characters of the play, Paulin, Arsace, Rutile, and Phénice, three confidants and one confidante, are mere figureheads for whom it would be idle to seek historical prototypes. They have little or no personality; their function is to introduce situations and to aid in the dialogue of the main characters.

From what precedes, it is clear that Racine's 'Bérénice' is far from being an historical play in the modern sense of the word. Out of seven characters, the rôles of two only are based on history and even these have been deeply modified by the poet. Racine's passionate but pure heroine has nothing in common with the Bérénice of history who, after a stormy career in her Oriental possessions, scandalized the imperial city by her relations with a ruler who was sixteen years her junior. From history Racine borrowed only the fundamental idea of his play, the separation of an emperor and a queen who, for political reasons of a serious character, are made to sacrifice their mutual love.

line 2. **arrêter** = modern s'arrêter.

8. By means of this arrangement of doors opening on a cabinet, the same stage setting could be used for all the acts of the play and the requirements of the so-called rule of the unity of place were fulfilled. "La reine" is of course Bérénice, the Jewish queen, who, being in love with Titus, had come to Rome five years after the fall of Jerusalem.

15. **épouse en espérance.** Bérénice hopes to marry Titus now that he is an emperor.

30. **Pour me venir encore déclarer** = pour venir encore me déclarer. This attraction of an object pronoun of a verb to a governing verb is of frequent occurrence in seventeenth century French. It indicates no difference in meaning from constructions in the modern order.

32. **partons;** a manner of "editorial we" often made to replace the personal pronoun of the 1st singular.

36. **dévorer des pleurs** = "to check one's tears."

60. **change;** present used in place of the future.

68. **disparaître aux yeux** = "disappear from the sight."

69. **Il suffit** = cela suffit.

73. **de moments en moments** = "at any moment"; modern d'un moment à l'autre.

75. **Comagène.** English Commagene. A province of ancient Syria, between Mount Taurus and the Euphrates. It was for a time ruled by kings friendly to Rome. Later it was annexed to the empire.

76. **il faut partir;** see note 60.

79. **avec justice** = "rightly so."

83. **assurant sa conquête** = "certain of victory."

92. **jamais je ne l'ai moins haïe:** "never have I hated her less," for "never have I loved her more." A touch of preciosity of style.

93. **déjà trop prévenu** = "already made vain."

106. The siege of Jerusalem by Titus in 70 A.D. during which Antiochus served as an ally of the Romans.

110. In reality Antiochus had made an ill-considered attack on Jerusalem and been repulsed.

114. It had just been reported that Antiochus had been killed in his attempt to storm the city.

119. **Euphrates.** See note 75.

137. **l'inutile longueur** = "the idle display of their respect."

138. **du cœur** = "from the heart," "with sincerity."

144. **d'un pas égal** = "undismayed."

153. **long deuil;** mourning for the death of Vespasian, father of Titus.

156. Supply ellipsis: "which he displayed when . . ."

166. **Le sénat a placé son père entre les dieux.** In 42 B.C., by a formal act of the Senate and the people, Julius Caesar was enrolled among the Roman gods and a temple dedicated to him. By the end of the first century of our era, the deification of emperors by the Senate had become a matter of course.

180. **changer de visage** = "lose composure."

182. **Il fallait partir** = il aurait fallu partir. Imperfect used for the conditional anterior.

190. **trait** = "Cupid's dart."

194. Imitation of Caesar's "Veni, vidi, vici."

199. **interprète sévère;** in the sense of speaker, expositor, in apposition with " bouche."

203. **emporta la balance** = "tipped the scales."

212. **J'espérai de verser** = J'espérai verser.

216. **trop peu certaine** = "the report of which, unfortunately, was unfounded."

220. **Quoique attendu** = "though destined to . . ."

226. **Je vois que l'on m'écoute;** 3d person singular used frequently, instead of 1st person singular, by lovers addressing their ladies, expressing at once deference and passion.

235. **Caesarea.** Two cities of Judaea bore that name, the seaport "Caesarea Palestina," northwest of Jerusalem, and Caesarea Philippi situated ninety-five miles north of Jerusalem. It was in the former that the first massacre occurred which precipitated the Jewish war, and it was in the latter that Titus exhibited gladiatorial shows to celebrate the capture of Jerusalem. It is usually taken for granted that Racine means to refer to "Caesarea Palestina," though there can be no certainty on the matter.

243. = Your friendship for me blinded you to the fact that I was in love with Bérénice.

246. **Rome, Vespasien, traversaient vos soupirs;** were hostile to your aspirations.

247. **cédait** = allait céder.

249. **Que** = pourquoi.

254. **Pour moi** = quant à moi.

261. **Il fut** = il pût exister.

262. **se** is a reflexive pronoun going with déclarer.

264. **en sa faveur** = "for its sake" (that of friendship).

272. Meaning Antiochus, who is as dear to Titus as his own life.

278. **Qui, me voyant toujours, ne me voyaient jamais** = "which, though seeing me always, took no notice of me."

294. **La rigueur de ses lois m'épouvante pour vous.** After the Roman people had risen in rebellion and driven away Tarquin the Proud, they swore that never again should a king rule in Rome.

300. Statues were erected to dead emperors. They were similar to those dedicated by the Greeks to their gods and they were treated as sacred effigies.

309. **Venir de toutes parts confondre** = "gazing from all directions to focus upon . . ."

ACT II

Titus knows that, since he has been elected emperor of the Romans, his duty is to dismiss Bérénice, yet the sacrifice which he is called upon to make is so great, that he seeks the support and advice of his confidant Paulin, who incarnates the inflexible will of the Roman people.

Paulin, after an instant's hesitation, urges the emperor to persevere in his determination to send the queen away. At that very moment Bérénice appears and Titus loses all his courage and self-confidence. He leaves the lady's presence with great precipitation uttering only disconnected words.

This is the first intimation that Bérénice has received of the insecurity of her position.

Inasmuch as the preceding scenes lead to this situation the second act might rightly be entitled, "The Misgivings of Bérénice."

330. **J'y suis couru** = J'y ai couru.

335. **Trop,** in the sense of "most."

Titus, compelled to dismiss Bérénice much against his will, had first heaped upon her all the honors and all the wealth at his command. (See lines 165–177.)

340. **Attend que deviendra** = attend de voir ce que deviendra.

343. **qu'il faut** = où il faut.

363. **J'ai mis même à ce prix mon amitié secrète** = "Such is the price I set on my friendship."

367. **Que faut-il** = "what may."

377. See Act I, note 63.

387. **Caesar, Anthony, Cleopatra.** Caesar, pursuing Pompey into Egypt, became infatuated with the young queen Cleopatra, fought in her behalf, and took her back with him to Rome. Being a foreigner she was unpopular, so that after Caesar's assassination she returned to Egypt. The Roman commander Anthony then fell in love with her and remained in Egypt in spite of orders to return to Rome. Being attacked and defeated by Octavius he committed suicide, as did Cleopatra, 31 B.C.

397. **Caligula.** Roman emperor. In a reign of four years (37–41 A.D.) he won for himself the distinction of being the most cruel monster in all history. — **Nero.** Born in 37, died in 68 A.D. Had his brother, his mother, and his wife murdered. He was popularly believed to have set Rome on fire for his own amusement.

404. **Pallas.** Slave of the emperor Claudius who freed him and made him his treasurer. Pallas later had Claudius poisoned but was in turn imprisoned by Nero. His brother Felix became governor of Judaea and was noted for his dishonest administration.

427. **Idumée.** The biblical Edom, a district of Southern Palestine where Vespasian was when elected emperor.

447. **Mon cœur en ce moment ne vient pas de se rendre** = "It is not now only that my heart has yielded."

463. **loin d'être à ce que j'aime** = "far from belonging to the one I loved," "free to follow the inclination of my heart."

466. **Livrait à l'univers le reste de mes jours** = "compelled me to devote to the empire the rest of my life."

476. **a demeuré** = est demeurée.

493. **Judée.** Judaea, the southern part of the Holy Land.

502. **ses appas;** antecedent of ses is " cette gloire cruelle."

511. **fit place** = "gave way before."

515. **mes bontés se répandre** = "my good deeds spread far and wide."

538. **Je passe le moment** = "I let go by."

550. **Encore un coup** = "once again."

562. **ressentiment;** archaic use of the word in the sense of "gratitude."

569. **plus de repos** = supply "Grant me more," etc.

575. **Depuis quand croyez-vous que ma grandeur me touche?** = "Since how long have I been thought to care about my own greatness?"

596. **vous confondre** = "become confused."

ACT III

Titus begs Antiochus, who is on the point of leaving, to explain his situation to Bérénice. Antiochus hopes for a moment that by gratifying his friend's wish he may be put in the position to win the love of Bérénice. He is quickly undeceived, for no sooner has he made his mission plain than the queen accuses him of treachery and dismisses him with even greater scorn than she had done in Act I. Yet she knows in her heart that Antiochus has spoken the truth and that Titus has resolved to send her away. It is in this act, therefore, that "The Truth dawns on Bérénice."

711. **aurait lieu de** = "would have power to," "might well."

724. **dans la pourpre élevée** = "brought up as a queen."

725. **cent;** indefinite for "a throng," "a large number."

735. **Sauvons;** second person, as in Act I, note 32.

759. **à sa suite** = "accompany her," "in her train."

767. **Cilicie.** Cilicia, in ancient geography a district of Asia Minor south of Mt. Taurus.

778. **Et, quand je le croirais, dois-je m'en réjouir?** = même si je le croyais, devrais-je, etc.

791. **fera** = verra.

792. **Des froideurs de Titus à ma . . .** = "between the coldness of Titus and my . . ."

797. **succède** = réussit; same meaning as English "succeeds."

815. **ne vous plairez-vous** = "will you take pleasure only."

855. **Ostie.** Ostia. Harbor at the mouth of the river Tiber, fourteen miles southwest of Rome. Antiochus was to sail from it for the Orient.

869. **Avant la fin du jour vous me justifierez.** This may or may not be a conscious reference to the unity of time.

890. **où** = auxquels.

905. **étonner;** seventeenth century meaning, "to crush," "to strike down."

913. **Quoi? vous pourriez ici me regarder . . .** = "You would have the cruelty in my very presence, . . ."

915. **quoi qu'il en puisse être** = "whatever the truth of it may be."

924. **sa haine me fait grâce** = "frees me from the bondage of her love."

948. **Que de longtemps** = "so that for a long time to come."

ACT IV

This act has been entitled "Bérénice in Despair." She meets Titus who has sufficiently recovered from his panic to enumerate to her the bonds and ties which compel him to be true to the spirit of the Roman laws.

Bérénice answers with all the passionate pleadings which her love for Titus brings to her lips. Titus is again on the point of weakening. His own intense passion and the grief of the queen, who leaves, threatening to make an attempt upon her life, nearly blind him to his duty. Only the timely arrival of Paulin saves him from defeat.

959. Future of probability.

968. **rentrez en vous-même** = "regain control over yourself."

1006. **J'avance des malheurs que je puis reculer** = "I hasten the coming of misfortunes which I might delay."

1008. **l'avouer pour Romaine** = "receive her as a Roman," "give her the privileges of naturalization."

1016. **Par crainte ou par amour** = "neither by — nor by —."

1032. **que je faisais attendre?** = "of which I had given promise?"

1049. **Rappelez, etc.;** It was for the sake of Bérénice that Titus had won glory in arms. He now asks her to help him once more to do his duty. " Cœur " may be translated as "spirit."

1052. **gloire;** very nearly synonymous with " devoir " in next line.

1076. **mort;** exaggerated expression for "ruin of my hopes."

1082. **que** = où = " when."

1089. **se gardait bien** = "took good care not to."

1094. **Avant que** = avant de.

1126. **s'il est vrai** = si cela est vrai.

1162. **Régulus.** Roman commander in the first Punic war. Tradition has it that having been captured by the Carthagenians, he was sent to Rome on parole to negotiate for a peace treaty or for the exchange of prisoners. When before the Senate, he urged the Romans to refuse both proposals, then returned to Carthage knowing that he would be put to death.

1164. **Manlius Torquatus.** Roman dictator (353–349 B.C.). He had his own son executed for having killed an enemy in a single combat unauthorized by the consuls. — **proscrire la tête** = "to put a price on the head."

1165. **Brutus.** Roman consul whose sons were implicated in a conspiracy to reinstate the dynasty of the Tarquini. They were condemned by a sentence of their own father and executed in his presence.

1171. **elle;** antecedent is " austérité."

1182. **C'en est fait** = "the end has come."

1188. **devant que** = avant que.

1189. **veut de son trépas laisser quelque vengeur** = "wishes to leave with you that which will avenge her downfall upon you."

1202. **dès tantôt** = "but a short time ago," "anon."

1205. **Voilà les plus grands coups** = "The most cruel blows have been dealt."

1243. **Un grand peuple** = "A throng."

1245. **Je vous entends** = je vous comprends.

ACT V

Bérénice comes to bid Titus farewell, but the emperor learns that she has determined to commit suicide as soon as she has left the capital. Driven to desperation by this discovery, Titus, in an impassioned speech, makes it plain to Bérénice that if she makes any attempt upon her life, he will kill himself.

In the next instant the queen becomes convinced of the sincerity of Antiochus, for he, too, is on the verge of despair. She then realizes how much courage her lovers must have summoned to cope with their respective situations. This appeals to her generosity.

She determines to bear her burdens as they have borne theirs, so she parts from both Titus and Antiochus, giving them the assurance that, for their sake, she will live. This final act shows us "Bérénice Resigned to her Fate."

1258. **où** = auquel.

1278. Cf. Act IV, note 1182.

1280. **Mais d'un soin si cruel la fortune me joue** = "But Fortune, cruelly constant, toys with me."

1311. **tout à l'heure** = "forthwith."

1341. **plus** = tant de.

1345. **vous me le soutenez** = "you insist on it."

1357. **me laissez** = laissez-moi.

1371. **die** = dise.

1395. **étonnée** = "crushed," "overwhelmed."

1397. **éclat, pas, faits** = "glory, great deed, accomplished."

1480. **Ce jour** = aujourd'hui.

1498. **faites-vous** = faites.

Le Curé de Village.

By Honoré de Balzac. Edited by Stanley L. Galpin.
Crown 8vo. Cloth, pp. xviii + 365 ....**75c**

" It is a good text for college and school; and I see that it has been very sensibly edited."—*Prof. C. H. Grandgent, Harvard University.*

François le Champi.

By George Sand. Edited, with Introduction, Notes, and Vocabulary, by Colbert Searles. *Crown 8vo. Pp. xxi + 291* **60c**

" The notes are unusually good, and the plan of presenting frequent résumés of the story to be turned back into French, is a capital one."—*Prof. Isabelle Bronk, Swarthmore College.*

Les Femmes Fortes.

By Victorien Sardou. Edited by Albert Cohn McMaster and Francis B. Barton. *Crown 8vo. Cloth, pp. xii + 216* **60c**

" It is a delightful edition and will prove an admirable text for a nineteenth-century comedy course."—*Prof. Lucile Dora, University of Oklahoma.*
" An excellent text. . . . The editors seem to have done their work especially well."—*Prof. Madison Stathers, West Virginia University.*

French Pronunciation. Principles and Practice and a Summary of Usage in Writing and Printing.

By James Geddes, Jr. *Crown 8vo. Cloth, pp. xvi + 262* **75c**

" By far the best treatise on the subject yet published in English." —*Prof. William P. Shepard, Hamilton College.*

" A very scholarly work that every teacher of French ought to have."—*Prof. Wm. Bell, Occidental College.*

Gobseck and Jésus-Christ en Flandre.

By Honoré de Balzac. Edited by R. T. Holbrook. *Crown 8vo. Cloth, pp. xxv + 197*............**60c**

" The notes which I have examined are as close to my idea of perfection as possible. The seriousness with which Dr. Holbrook assumed his task and his careful language 'jump to one's eyes' at once."—*Prof. E. B. Schlatter, University of Wisconsin.*

"The introduction and notes are admirable, and from the point of view of the bookmaking it does not, as do unfortunately too many modern texts, leave anything to be desired."—*Prof. D. L. Middlebury, Middlebury College.*

Abdallah ou Le Trèfle à Quatre Feuilles.

By Édouard Laboulaye. Edited by Albert Schinz. Vocabulary by Helen Maxwell King. *Crown 8vo. Cloth, pp. xiii + 295*........................**60c**

" An admirable edition of an attractive text."—*Prof. William P. Shepard, Hamilton College.*

Le Philosophe sans le savoir.

By Michel-Jean Sedaine. Edited, with Introduction, Notes, and Index, by Thomas Edward Oliver. *Crown 8vo. Cloth, pp. xlii + 159*............**60c**

" A scholarly edition . . . . ought to be widely used."—*Prof. Kenneth McKenzie, Yale University.*

La Recherche de l'Absolu.

By Honoré de Balzac. Edited, with Introduction and Notes, by Charles E. Young. *Crown 8vo. Cloth, pp. xvi + 304* **60c**

"Ably edited, handsomely printed, and furnished with the most pertinent notes."—*Prof. Isabelle Bronk, Swarthmore College.*

Lettres Persanes.

By Montesquieu. Edited, with Introduction, Notes, and an Index, by R. Loyalty Cru. *Crown 8vo. Cloth, pp. xxvii + 312.* **60c**

Writing about *Le Philosophe sans le savoir, La Recherche de l'Absolu,* and *Lettres Persanes,* Prof. Henri G. Béhotéguy, College of Wooster, says: "These are splendid texts, very attractively printed and bound and very ably edited."

A History of French Literature.

By C. H. Conrad Wright, A.M., Assistant Professor of French in Harvard University. *8vo. Cloth, pp. xiv + 964* **$3.00**

"If admirable scholarship, painstaking thoroughness, and a pleasing style may be considered prime requisites in any historical work, then we are justified in according it the highest measure of praise."—*New York Times Saturday Review.*

"A conscientious piece of work. . . . It yields to none of its American or English predecessors in soundness of scholarship or in range of information."—*The Dial.*

"At last we have a comprehensive and up-to-date history of French literature."—*The Outlook.*

OXFORD UNIVERSITY PRESS AMERICAN BRANCH

35 WEST 32D STREET,   NEW YORK